D1234141

Le Dernier Amour
du lieutenant Petrescu

Rom LOR ✓ DEC '16

Vladimir Lortchenkov

Le Dernier Amour du lieutenant Petrescu

Traduit du russe (Moldavie) par Raphaëlle Pache

REJETÉ DISCARD

BEACONSFIELD
Bibliothèque · Library
303 boul Beaconsfield
Beaconsfield QC H9W 4A7

Agullo

Préface

À l'heure actuelle, Vladimir Lortchenkov est sans aucun doute la voix la plus fraîche et la plus ironique de la nouvelle littérature russophone. Son ironie et son regard particulier sur le monde s'appréhendent aisément et relèvent de la géographie biographique de sa vie. Il a grandi russe en Moldavie, République soviétique dont les habitants – les Moldaves – étaient les héros de blagues populaires à travers toute l'URSS. Vladimir Lortchenkov a vécu à une époque où l'Union soviétique aussi bien que son humour de cuisine se sont enfoncés dans le gouffre de l'histoire, pour déserter définitivement la réalité. S'en est suivie, pour lui, une existence dans la Moldavie indépendante, lavée des sarcasmes soviétiques. Cependant, aux yeux de l'écrivain, cette Moldavie débarrassée de son passé soviétique est devenue une source bien plus appétissante d'histoires et d'humour que cette même république du temps de l'Union soviétique.

Le premier roman de Lortchenkov qu'il m'ait été donné de lire m'a frappé par sa légèreté et sa lumineuse mélancolie. Après avoir publié *Des mille et une façons de quitter la Moldavie*, où tous les Moldaves émigrent en Italie (bon, peut-être pas tous, ou bien pas tous en Italie !), l'auteur lui-même, persuadé d'avoir décrit la stricte vérité, a émigré au Canada et parle à présent de sa terre natale depuis l'autre côté de l'océan. Ce qui est cocasse, comme ce qui est grand, se voit mieux à distance. Se voit mieux et se décrit mieux.

Dans *Le Dernier Amour du lieutenant Petrescu*, la Moldavie se trouve grossie aux dimensions et à l'importance des États-Unis d'Amérique, tandis que les services secrets moldaves prennent la taille de la CIA et du FBI. L'histoire du lieutenant Petrescu, c'est celle d'un homme qui a réalisé son *American dream* moldave à lui : il est passé de la pauvreté et de la recherche de gagne-pain misérables à une immersion dans une sexualité quasi tantrique, qui ne le cède en rien à l'issue traditionnelle du rêve américain – à savoir la richesse matérielle. Ce roman, plein de revirements incroyables, ressemble beaucoup à un chawarma de premier choix : une fois qu'on l'a mangé, on redemande le même. Ce n'est sans doute pas un hasard si les événements les plus dramatiques du *Dernier Amour du lieutenant Petrescu* commencent et finissent dans un kiosque où l'on prépare et vend justement des chawarmas, un kiosque situé en face du quartier général du SIS, c'est-à-dire ces services secrets moldaves avec lesquels on ne plaisante pas.

Andreï Kourkov

© Vladimir Lortchenkov, 2003, 2013.
Titre original : *Poslednaya liubov leitenanta Petresku*
© Agullo Éditions, 2016 pour la traduction française
Conception graphique : WIPbrands

1

— Réponds, salopard, où t'as foutu le magnétophone?
Le petit homme basané en pantalon crasseux, dont la
couleur n'était identifiable qu'à une inscription – « Green
jeans » – au niveau de l'aine, poussa un gémissement
plaintif. Quant au lieutenant Petrescu, entré au service
de la police deux ans plus tôt, il essayait de comprendre :
éprouvait-il de la pitié pour ce type? Petrescu n'avait
aucune certitude en la matière. D'un côté, il comprenait
que le suspect – c'est-à-dire le type en question – était
davantage tourmenté par sa gueule de bois que par la
perspective d'un châtiment sous forme de privation de
liberté pour un certain nombre d'années; d'un autre côté,
Petrescu était effrayé par la possibilité de devenir le même
monstre inhumain que ses collègues au poste, dont il lui
semblait parfois qu'ils pourraient dérouiller leur propre
mère sans même ciller. Aussi le jeune lieutenant (car
dans le commissariat où il était affecté, il y avait aussi des
vieux lieutenants) cherchait toujours à faire naître en lui-
même un sentiment de pitié envers ceux qu'il interrogeait.
Ces derniers temps, toutefois, il parvenait de moins en
moins souvent à ce résultat. Un constat qui flanquait

la frousse à Sergueï Petrescu. Car il n'avait balancé du
« salopard » à ce petit mec que pour la forme, pas du fond
du cœur, et encore moins par cruauté. C'était juste dans
l'ordre des choses.

— Quelqu'un de cruel ne pourra jamais travailler dans
les forces de l'ordre! avait jadis professé Nikolaï Blenaru,
colonel en retraite du ministère de l'Intérieur, au cours
d'une leçon dispensée à la promotion dont faisait partie
Sergueï Petrescu, alors étudiant de l'académie de police.
Mais un homme bon n'y fera pas long feu, lui non plus.
Seuls survivent les indifférents. C'est clair pour tout le
monde?

Les étudiants avaient hoché la tête à l'unisson, et
lorsqu'on leur avait demandé, à l'examen, quelles devaient
être les qualités morales d'un futur officier de police, ils
avaient fourni avec le même unisson la réponse qu'ils
connaissaient sur le bout des doigts : communicabi-
lité, bonté, capacité à comprendre les problématiques
humaines. Les promotions sortaient, certains (Petrescu, par
exemple) décrochaient leur diplôme ainsi qu'une médaille
et l'insigne de tireur émérite; les autres, seulement leur
diplôme. Les sadiques s'en allaient ensuite en service de
patrouille et de faction, les plus futés atterrissaient chez
les agents opérationnels, mais le lieutenant Petrescu n'eut
pas de chance : on l'envoya renforcer les effectifs du commissariat de police n° 134, dans le quartier de Nijniaïa
Rychkanovka, à Chisinau. La réputation du secteur était
pourrie : en règle générale, ses maisons étriquées abritaient
des alcooliques, de petits délinquants, et le phénomène des
bandes rivales y était fort développé entre les différents
immeubles. Pourtant, l'instauration de l'économie de

marché en Moldavie avait eu des conséquences bénéfiques sur le quartier : après avoir vendu les appartements qu'ils possédaient jusqu'alors dans des faubourgs respectables (il fallait bien se nourrir d'une manière ou d'une autre), les membres de l'intelligentsia chisinéenne se mirent à y affluer. *La semaine dernière, aux abords du cinéma Chipka,* songea Petrescu avec fierté, *un metteur en scène du théâtre Cantémir s'est fait dévaliser et rouer de coups jusqu'à perdre connaissance ! Si des gens de ce niveau s'installent dans le quartier, ça veut quand même bien dire quelque chose.*

— Serguëi, j'ai peur rien qu'en sachant que tu vis dans cet endroit atroce, compatissait une ancienne condisciple, qui travaillait comme consultante à l'ambassade américaine.

— Silvia, arguait Serguëi, piqué au vif, je suis récemment intervenu dans un immeuble pile en face du commissariat. On nous avait appelés pour un cambriolage : pendant que la propriétaire de la studette dormait, les voleurs ont fracturé sa porte et emporté sa télé, son magnétophone et son tapis. Et tu sais de qui il s'agissait ? D'une danseuse de l'Opéra. Alors, tu trouves vraiment que c'est un quartier qui craint ?

L'ex-condisciple éclata de rire, mordillant sa lèvre inférieure, qu'elle avait charnue, tandis que Serguëi faisait pensivement tourner entre ses mains un verre rempli d'eau minérale. Il ne consommait presque pas d'alcool et fumait très rarement. « Un vrai petit ange », disaient de lui les filles de sa classe, avant de se mettre à glousser. Mais en seconde, Petrescu ne leur accordait pas la moindre attention : il filait à ses leçons de sambo, puis à ses cours d'anglais. Sa nomination au commissariat n° 134 n'avait toujours pas débarrassé Sergueï de son habitude de se vêtir avec soin, en civil, de se raser de près et d'embaumer une agréable eau de Cologne. Car même exilé dans ce trou, il espérait ne pas se déconsidérer et, tôt ou tard, atteindre le but principal de son existence, à savoir devenir d'abord ministre de l'Intérieur, puis président. Bien évidemment, pour que sa carrière prenne la trajectoire ascendante voulue, Sergueï aurait pu tout simplement se faire muter au commissariat de Bendery – projet pour lequel des parents plutôt influents l'auraient aidé. La ville transnistrienne de Bendery ne reconnaissait pas la police moldave, mais après le cessez-le-feu, les représentants des forces de l'ordre n'en furent pas expulsés pour autant, si bien que servir dans un commissariat local pendant une année ou deux vous garantissait un avancement et une réputation de héros. À cette époque cependant, Petrescu était à l'évidence toujours influencé par certaines pages de *Rue de la sardine*, de Steinbeck (son écrivain préféré) : le jeune lieutenant pensait qu'il serait en mesure d'introduire des améliorations dans l'univers de ce quartier, qu'il saurait démontrer à ces alcooliques nécessiteux et misérables qu'un homme en uniforme pouvait être un protecteur et pas seulement un ennemi. Mais à présent, il était clair que l'atmosphère ne se prêtait plus à un tel optimisme.

Avec un soupir, Sergueï reprit l'interrogatoire de l'homme censé avoir volé le magnétophone et la télévision ayant appartenu à la malheureuse ballerine.

— Pour la dernière fois : où t'as foutu les affaires ?

L'homme gémit de nouveau. Après mûre réflexion, le lieutenant Petrescu se décida. Il s'approcha du suspect, lui prit bien soigneusement le visage entre les mains, puis, pivotant brusquement, projeta la tête du fripon dans un coin. Dans la mesure où la tête du misérable était toujours attachée à son corps par un cou, aussi crasseux fût-il, le délinquant s'envola tout entier dans le coin. Et se remit à gémir plaintivement.

— Sergueï Konstantinovitch, ce serait bien si je pouvais boire un petit coup pour faire passer ma gueule de bois...

Petrescu serra les dents. En effet, si l'on prenait son nom dans sa totalité – prénom, patronyme et nom de famille –, il s'appelait bien ainsi : Sergueï Konstantinovitch Petrescu. Le lieutenant était redevable de cette dissonance à ses parents : un père de nationalité russe et une mère moldave. Certes, ils avaient divorcé, si bien que le lieutenant portait le nom de jeune fille de sa mère, néanmoins son prénom et son patronyme étaient russes. En conséquence de quoi, Petrescu était trop russe pour les Moldaves et exagérément moldave aux yeux des Russes. Aussi, à la différence de nombre de ses collègues, le lieutenant était-il un observateur zélé du politiquement correct et fuyait-il les conversations à thématiques nationales.

— Lieutenant Petrescu... glapit encore le suspect d'une voix plaintive.

À n'importe quel autre moment, Sergueï aurait tout simplement relâché le détenu, avant de le prendre en filature pour déterminer dans quel appartement le petit mec avait échangé son butin contre le cocktail en vogue dans le quartier, à savoir du vin au dimédrol. Mais cette fois-ci, il mettait un point d'honneur à récupérer les objets au plus vite afin de les rendre à leur propriétaire, la danseuse déjà vieillissante. Il en allait du prestige de l'uniforme. Alors le lieutenant soupira, se dirigea vers le coin de la pièce où il agrippa une nouvelle fois la tête du détenu – laquelle entraîna par inertie le reste du corps –, et la lança de nouveau, mais dans un autre angle de la pièce. Le chapardeur n'émit pas un son en s'effondrant lourdement sur le sol. *Il faudrait quand même pas que je le tue*, songea Petrescu avec inquiétude. Sur ces entrefaites, la porte s'ouvrit.

— Vous avez fait appeler concernant le vol du chauffe-eau ?

Celui qui avait posé la question possédait une tête modérément frisée, avec de grosses lèvres sur un visage basané. (*Ils sont tous basanés par ici*, songea hargneusement Petrescu, qui avait les cheveux blonds.) Un anneau pendait à l'oreille gauche, fort décollée, de cette tête. *Jeune, du quartier, avec une boucle d'oreille. Autrement dit, un drogué*, détermina Petrescu avec un flair infaillible. Aussi, dans la seconde qui suivit, priva-t-il cette tête de toute possibilité de respirer par l'entremise d'une jambe qui en écrasa le cou à l'aide de la porte. Les lèvres de la tête se mirent à trembloter, et une larme goutta de l'œil gauche.

— Réponds, où t'as foutu le chauffe-eau ? demanda Petrescu d'un air mélancolique tout en accentuant la pression.

— Monsieur le lieutenant… geignit le corps qui gisait dans un coin de la pièce.

— Réponds, où t'as foutu le magnétophone, salopard ? répliqua mollement Petrescu, qui lança les menottes dans le coin en question, où elles atterrirent en cliquetant contre le front du fripon.

— J'ai pa... râla la tête coincée dans la porte.

— Où est le chauffe-eau, cloporte ? répéta le lieutenant pour alimenter la conversation.

— Je suis venu dé…

— Quoi ? Qu'est-ce que tu es venu dé…? s'enquit Petrescu en relâchant la pression. Dénoncer ?

— Dé… Déclarer le vol. Je suis la victime, s'empressa de chuchoter la tête.

— Ah, dans ce cas, entrez, asseyez-vous.

Le lieutenant ôta le pied qui calait la porte. Avec un reniflement plaintif, le propriétaire du chauffe-eau volé s'effondra dans le bureau. Pour mettre un terme à un silence inconfortable, Petrescu bondit vers le voleur du téléviseur de la ballerine, qui semblait vouloir se relever, et lui flanqua une taloche.

2

Le directeur du bâtiment s'approcha de la porte pour apprécier du regard l'inscription qui la surmontait.

— Il faut la décaler un peu vers la gauche, jeta-t-il à son subordonné, avec le phrasé saccadé propre aux chefs moldaves, et sans doute aussi à ceux du monde entier. Plus à gauche. Ça ne se voit pas, bon sang ? Est-ce que je suis le seul ici à savoir comment placer correctement une banderole au-dessus de la porte de notre organisation ? Il s'agit de notre visage, et pas du contraire, si je puis dire ! L'entrée principale, comprends-tu, pas l'entrée de service !

— C'est ma faute, monsieur le directeur, répondit le subordonné en se recroquevillant. (C'était un homme de petite taille à lunettes noires et manteau de cuir.) Je me suis trompé. On va rectifier ça tout de suite.

— Arrête-moi ce vocabulaire ! Il faut dire « retoucher » !

— On va retoucher ça tout de suite.

Le subordonné se recroquevilla un peu plus (encore deux ou trois remarques et l'homme allait finir par disparaître, semblait-il) et se précipita vers sa chaise, sur laquelle il grimpa pour déplacer la bannière.

Un petit examen de la chaise dessina une grimace sur le visage du directeur du Service d'information et de sécurité de la république de Moldavie, Constantin Tanase. La chaise était lépreuse, couverte de plusieurs couches de peinture craquelée en divers endroits, vieille, usagée, avec un pied plus court qu'il ne l'aurait fallu. Aux yeux de monsieur Tanase, cette chaise évoquait le SIS actuel – un service inutile, estropié, ayant pour une raison inconnue résisté aux années de réformes et de transformations traversées par l'actuelle Moldavie.

— Bah, pourquoi arrêter ma comparaison au SIS ? Cette chaise, c'est mon pays dans son entier…

Et il posa un regard affectueux sur son subordonné, le major Édouard, occupé à repositionner la bannière… qui claironnait : « Soyez les bienvenus ! »

Le SIS – héritier du jadis tout-puissant KGB de Moldavie – avait son quartier général au centre de Chisinau, non loin de la Maison du journalisme, ce qui réjouissait d'autant plus Constantin qu'il avait ainsi à portée de main la plupart des personnes placées sous la tutelle de son département.

— Quand tous les journalistes se seront éteints, disait-il à son secrétaire, on n'aura plus rien à faire sur cette terre, toi et moi. Moi parce que mon organisation sera fermée, toi parce que tu es le neveu de ma femme, autrement dit, sans moi, tu disparaîtras. Alors prie pour les journalistes, aime-les et ménage-les.

L'inscription sur la banderole ravissait Tanase au plus haut point, mais son honnêteté l'obligeait à reconnaître que l'idée ne venait pas de lui. Il avait vu une inscription semblable au-dessus de l'entrée dans les catacombes du NKVD, qui avaient été creusées au centre de Chisinau à la fin des années 1940. À l'époque, les mots « Soyez les bienvenus », tracés à la peinture rouge sur le seuil des grottes où l'on avait fusillé plusieurs milliers d'ennemis de classe, avaient produit une impression indélébile sur Tanase, alors étudiant en cinquième année d'histoire à l'université. Son esprit facétieux avait poussé Constantin à profiter de l'expérience humoristique de ses prédécesseurs une fois devenu président du nouveau KGB moldave. En ce qui concernait les catacombes, le directeur du SIS avait ordonné de fermer l'accès au souterrain, suscitant de ce fait une multitude de questionnements dans son entourage.

— Mon président, avait objecté l'un de ses subordonnés, ne faudrait-il pas ouvrir un accès aux grottes, afin de convaincre l'opinion publique que l'héritage du KGB en général, et de l'URSS en particulier... (étant ivre, il s'était emmêlé les pinceaux.) ... est ce qu'il y a de pire dans la vie des citoyens de la Moldova indépendante ?

— Primo, mon couillon, on dit : « Moldavie », répliqua calmement Constantin Tanase, diplômé de l'école du Parti de Leningrad. Et secundo, les services secrets sont les mêmes dans le monde entier. En couvrant le NKVD de merde, tu critiques le SIS ; en dénonçant le KGB, tu fais la guerre à la CIA, et ainsi de suite. Tu piges ?

Son adjoint, qui biberonnait au moût de raisin depuis le matin, garda le silence, non sans s'être éclairci la gorge au préalable. Tout sourire, Tanase pressa alors l'épaule de son interlocuteur.

— Dans un tank, le plus important, c'est de ne pas avoir la pétoche ! déclara-t-il, répétant son dicton favori.

Il l'avait entendu au cours de son enfance en Sibérie, où les bolcheviks avaient déporté sa famille. Mais Constantin ne leur en gardait pas rancune, car les bolcheviks comptaient son oncle Grigori dans leurs rangs. C'était d'ailleurs lui qui avait envoyé la famille de son frère (le père de Constantin) en Sibérie, histoire de porter un coup fatal au koulak et à l'exploiteur qu'il était et, par la même occasion, de mettre la main sur son lopin de terre. Ce genre de comportement n'était pas jugé répréhensible, en Moldavie : « La terre vaut tous les actes commis pour l'obtenir », se plaisaient à répéter les anciens.

3

La banderole une fois confiée aux bons soins du major Édouard – celui-ci étant revenu depuis peu d'un stage en Grande-Bretagne, Tanase lui accordait une certaine autonomie –, Constantin regagna son bureau, où il alluma une cigarette et observa son planisphère d'un œil chagrin.

— Portrait de la planète Terre, disait de cette carte le directeur du SIS.

Une partie des pays était marquée de drapeaux rouges : les États à qui l'organisation terroriste Al-Qaïda et son chef Ben Laden avaient déclaré la guerre. Deux mois plus tôt, jour pour jour, l'œil luisant de fierté, Constantin avait planté un petit drapeau rouge dans le numéro 17 qui, sur cette carte, indiquait la Moldavie (les cartographes n'avaient pas réussi à inscrire son nom en totalité, tant le pays était petit). Depuis l'été précédent, soit en 2003, les terroristes internationaux avaient ajouté la Moldavie à la liste des pays ennemis. C'était la conséquence tout à fait imprévue de l'envoi de douze sapeurs moldaves dans le contingent de la force internationale commandée par les Américains. Les noms des pays participant à la coalition avaient été publiés sur Internet, si bien qu'à sa grande surprise, la Moldavie se retrouva sur la liste noire des terroristes. Cela étant, personne n'en aurait rien su dans le pays si, en se promenant sur des sites porno, Tanase n'était tombé sur cette liste et n'avait fait fuiter l'information dans la presse.

— Nous exigeons de savoir si l'inclusion de notre république dans la liste des cibles potentielles d'Al-Qaïda aura des conséquences tragiques pour la Moldavie, avait déclaré un député de l'opposition.

En guise de réponse, le directeur du SIS s'était rembruni, l'air entendu, avant de marmonner quelques paroles inarticulées. Dans le flot général de sa réplique (l'école du Parti lui avait appris à répondre sans répondre), on ne saisissait que « terrorisme », « discursif », « catégorique », « protection factice » et « processing ». D'où les parlementaires en conclurent que les événements avaient pris une tournure extrêmement inquiétante et dangereuse.

Constantin Tanase avait ainsi réussi à faire doubler le financement de son service en 2004, mais cela ne le réjouissait pas pour autant. Depuis le 11 septembre 2001, rien ne le réjouissait plus.

— Tu saisis le problème ? demandait-il à un camarade de promotion, avec lequel il buvait un café dans un salon de thé (Constantin ne touchait pas à l'alcool). Depuis, tous les services secrets du monde sont sur l'affaire, mais pas moi. Et ça m'afflige. Parce que moi, je suis ce qu'on pourrait appeler un artiste, dont le potentiel créatif est en train de se déliter. Et tout ça à cause de la Moldavie, qui est le trou du cul du monde !

Il va de soi qu'aux premiers temps de la guerre contre le terrorisme, Constantin, qui était honnête homme, décida de le débusquer aussi en Moldavie. Sur ses ordres, les trois mille Arabes moldaves (des étudiants venus suivre des cours à la faculté de médecine locale) furent contrôlés du premier au dernier, ainsi que deux organisations radicales à destination de la jeunesse. Hélas, on n'y trouva pas le plus petit embryon de terroriste.

— Bon sang, pas un seul ? Même le plus piteux qui soit ? demandait, frémissant d'espoir, le directeur du SIS aux agents opérationnels ayant procédé aux vérifications.

— Ben… bredouillait l'un des lieutenants, on a bien un Syrien prénommé Saddam… Non, malheureusement, ce n'est même pas son cousin éloigné.

— C'est bien dommage, résumait le chef en congédiant les opérationnels.

À dire vrai, Constantin faillit croire un jour qu'il était né sous une bonne étoile : par un clair matin d'automne, on l'informa que des jeunes gens étaient montés à bord d'un avion stationné sur la piste d'atterrissage de l'aéroport de Chisinau.

— Des terroristes ! s'était exclamé Tanase en se frottant les mains de satisfaction. Faites intervenir les forces spéciales, et plus vite que ça !

Malheureusement, on découvrit que les jeunes gens en question n'étaient autres que les membres du groupe O-Zone, devenu par la suite très populaire, qui tournaient un clip à l'aéroport. Depuis ce jour-là, Constantin avait pris O-Zone en grippe, ainsi que leur chanson « Dragostea Din Tei ».

4

— Il faut acheter des oignons violets. Les blancs ne sont pas bons. Et si possible, mettre moins de tomates. On s'en fiche, personne n'y connaît rien en chawarma de toute façon.

Ahmed hocha la tête d'un air pensif, tout en enfilant son tablier. Son patron, Mahmoud, un quadragénaire originaire de Syrie, inspecta encore une fois les réfrigérateurs et leur contenu avant de prendre chaleureusement congé de ses employés pour s'en aller fumer le narguilé. Ahmed, étudiant en troisième année de médecine à l'université Testemitanu, sise en Moldavie, commença à préparer ses couteaux. Pendant ce temps, son binôme, lui aussi carabin, faisait chauffer le grill. Ils étaient obligés de se mouvoir avec les plus grandes précautions, car le kiosque du centre de Chisinau, où ils faisaient commerce de chawarmas, était minuscule. Cela permettait de limiter les frais de loyer et les taxes communales. Le chawarma étant un produit fort demandé, leur patron gagnait donc pas mal d'argent. Les étudiants aussi, soit dit en passant.

— Il nous paie la moitié de ce qu'on lui rapporte, expliqua Ahmed à son coéquipier. S'il embauchait des Moldaves à notre place, il débourserait moitié moins.

C'est le principe de n'importe quelle diaspora. Suis-le, toi aussi. Si c'est un étudiant arabe, l'un des nôtres, quoi, qui demande un chawarma, mets-lui un petit supplément d'épices et de viande. Si l'acheteur est un gars d'ici, tu lui fourres un peu de tout, mais un poil moins. On s'en fiche, personne n'y connaît rien en chawarma, ici.

Cette phrase : « On s'en fiche, personne n'y connaît rien en chawarma, ici » allait visiblement le poursuivre tout le temps de son séjour en Moldavie, songea Ahmed avec agacement.

À l'instar de nombre de ses compatriotes, Ahmed était venu en Moldavie pour décrocher un diplôme de médecin en échange d'une somme dérisoire. Certains, il est vrai, n'avaient pas fait le voyage dans ce but. Pour les Moldaves, tous les Arabes se ressemblaient, et les services secrets locaux ne faisant pas d'excès de zèle, les membres des organisations palestiniennes étaient nombreux à s'être établis à Chisinau en attendant que la situation s'améliore chez eux. La police moldave les laissait tranquilles, ne demandant même pas à vérifier leurs papiers : personne ne voulait d'ennuis ici. Vends tes chawarmas sur ton temps libre, courtise les filles du cru, ne cherche pas des noises aux gars du coin et profite de l'existence. Ainsi procédait Ahmed, et la Moldavie lui plaisait beaucoup.

— Surtout, aucune dispute, aucun conflit concernant la religion, l'avertirent des collègues plus anciens quand Ahmed arriva en Moldavie. Sinon, ils mettront pas deux semaines avant de nous flanquer dehors. Quand le Premier ministre de Turquie est venu en visite ici, la police locale a décidé de virer les Kurdes de Chisinau. Eh ben, on nous a tous envoyés en province pendant deux semaines.

Impossible de leur faire entendre qu'un Kurde et un Syrien, ou un Soudanais, par exemple, appartiennent à des pays et des peuples différents. Les autochtones sont des gens très tolérants. Le principal, c'est de ne pas les mettre en colère.

Ahmed écoutait et hochait la tête, sans cesser de découper ses oignons en rondelles. C'était là sa mission principale : en une journée, il lui arrivait de peler près de vingt kilos d'oignons. Ses amis en étaient même venus à le surnommer Cipollino[1]. Le soir, en regagnant le petit appartement qu'il louait avec un condisciple, Ahmed percevait avec dégoût l'entêtante odeur d'oignon qui émanait de lui.

— Mahmoud, s'enhardissait-il de temps en temps à demander à son patron, quand est-ce que je pourrai me charger des tomates ?

— C'est encore trop tôt, mon garçon, reniflait l'intéressé avant de s'en aller fumer le narguilé. Pour l'instant, tu n'es pas encore tout à fait au point avec les oignons.

Les employés rigolaient et servaient de nouvelles portions de chawarmas aux clients. Ils travaillaient selon le principe de la chaîne : chacun avait la charge d'une tâche précise. Ahmed coupait les oignons, Saïd la viande, et l'étranger du lot, le Moldave Sergiu, marié à la fille de Mahmoud, s'occupait des concombres…

En conséquence de quoi, ils travaillaient très vite et faisaient même concurrence au McDonald's du coin, situé à une centaine de mètres de leur kiosque.

---

1 Personnage éponyme d'un conte de l'écrivain italien Gianni Rodari – *Les Aventures de Cipollino* – très connu en URSS et dont le nom signifie « petit oignon ». (N.d.T.)

Quand débuta la guerre en Irak, Ahmed était dans l'équipe de nuit. S'étant rasé de près, il avait enduit ses cheveux de brillantine et passé une chevalière en or à l'index de sa main gauche.

— Ça me fait de la peine que les Américains n'achètent pas de chawarmas chez nous, lui lança lugubrement Saïd en guise de salut. (Il était en train de tronçonner une énorme pièce de viande.) Vraiment.

— Moi aussi, j'en suis affligé, répondit Ahmed après réflexion. Parce que je n'aime ni les souffrances, ni le sang, ni la mort. Mais je ne veux pas me mêler de politique. Je ne les sens pas du tout, ces trucs.

— Et qu'est-ce que tu veux alors ? lui demanda, plein d'aversion, le gendre moldave de Mahmoud, qui, à l'instar de tous les autochtones en pareille situation, devenait plus arabe que les Arabes. Trouver une place chez McDo pour le quart de ta paie ?

— Non, répliqua Ahmed en découpant son oignon avec le plus grand soin. Je veux obtenir mon diplôme, épouser la jolie fille que j'ai rencontrée ici il y a deux jours et rester vivre en Moldavie où je serai médecin.

— Si je comprends bien, peu importe que les Américains nous attaquent et tuent tous ceux qu'ils veulent ? grommela Saïd.

— Mais non, d'où tu sors un truc pareil ? s'étonna Ahmed. Est-ce que j'ai dit ça ? J'ai dit que j'étais affligé.

— Et tu n'as pas envie de tuer un Américain ? insista Saïd.

— Quel Américain ? fit Ahmed sans comprendre. Je pourrais avoir envie de tuer un Américain qui m'aurait fait du mal. Mais vu que je ne connais aucun Américain, comment je pourrais avoir envie d'en tuer un ? De façon générale, comment peut-on désirer tuer une abstraction ?

— T'es bien un étudiant, constata Sergiu avec un ricanement réprobateur. Un philosophe...

— Un toubib, le corrigea timidement Ahmed.

Toute la situation – l'équipe de nuit, la chaleur diffusée par la viande du chawarma, les mains poilues de ses collègues de travail – commençait à le plonger dans l'abattement. Pendant quelque temps, les hommes détaillèrent légumes et viande sans rien dire, tandis qu'un Afghan de haute taille, qui n'ouvrait jamais la bouche, servait les clients en leur faisant passer les chawarmas qu'ils avaient commandés à travers un guichet. Le front de Saïd finit par se couvrir de petites gouttelettes, telle une bouteille de bière dans une publicité télévisée.

— Mais enfin, les gars, faites un effort pour comprendre, insista Ahmed d'une voix plaintive. Je suis contre la guerre. Je n'aime pas l'Amérique, mais à quoi ça me servirait d'enlever et de tuer un Américain qui est tout autant un être humain que moi ? La seule différence, c'est que pour se payer ses études, il vend des hamburgers au lieu de chawarmas.

— Au McDo, ils ont pas un seul employé américain, répliqua Sergiu en fixant le mur. Que des autochtones. Qui travaillent pour une misère. Les Américains les exploitent.

— Tu m'as expliqué toi-même que Mahmoud nous payait moins que ce que nous lui rapportions, objecta Ahmed, dont les rondelles d'oignon devenaient de moins en moins régulières. Donc si je suis ton raisonnement, lui aussi, il nous exploite ?

— Tu veux dire que mon beau-père Mahmoud est un Américain ? s'enquit Sergiu, soudain livide.

— Mais non, ce n'est pas du tout ce que j'ai voulu dire. (De désespoir, Ahmed leva les bras au ciel.) Qu'est-ce que vous avez aujourd'hui à comprendre mes paroles de travers ?

— Mahmoud ne nous exploite pas, intervint Saïd, pour la bonne raison que c'est l'un de nos coreligionnaires et qu'il nous donne la possibilité de gagner de l'argent pendant que nous sommes loin de notre patrie.

— Selon ta logique, s'entêta Ahmed, les Américains aussi donnent du travail aux autochtones, même s'ils les paient mal, et par ailleurs, ils sont aussi de la même religion, vu que c'est tous des chrétiens.

— Comment ça se fait que ta langue se soit pas desséchée, avec les âneries que tu déblatères aujourd'hui ? demanda Saïd d'un air pensif, tout en plantant une pièce de viande sur la broche.

— Je suis contre la guerre, répéta Ahmed, qui n'en pouvait plus. Je n'aime pas leurs militaires, mais je n'ai rien contre l'Américain lambda qui découpe des oignons dans un boui-boui et transpire parce qu'il doit polémiquer avec un autre Américain stupide. Qui essaie peut-être de convaincre mon Américain qu'il faut absolument tuer un Arabe. Alors cet Américain, c'est-à-dire le mien, il n'en peut plus, il découpe son oignon et dit à son collègue : « Écoute, qu'est-ce qu'il t'a fait, cet Ahmed qui est en train de couper des oignons, tout comme moi ? – Ahmed est mauvais, tu dois le tuer », répond le méchant Américain. Tu parles d'un imbécile.

Au grand étonnement d'Ahmed, les lumières du parc aménagé en face du kiosque se renversèrent. Puis il mourut. Saïd retira le coutelas planté dans son dos et cracha sur le corps.

— Alors comme ça, je suis un imbécile d'Américain? Espèce de chien!

À la stupéfaction générale, on entendit alors la voix calme du grand Afghan efflanqué :

— Saïd, lâcha-t-il, il ne voulait pas du tout dire ça.

— Alors, je... voulut répliquer Saïd.

— Mais vu que tu as fait ce que tu as fait, l'interrompit l'Afghan en se tournant vers lui, sois gentil, traîne le corps de ce malheureux dans l'arrière-cuisine, enroule-le dans un tapis et transporte-le quelque part où on pourra le brûler. Je ne pense pas que la police locale s'apercevra de sa disparition.

En croisant le regard à la fois plein de sagesse et de perspicacité de l'Afghan, Saïd perdit contenance, imité en cela par tous ses camarades.

— Ah, et puis n'oubliez pas de laver le sol, ajouta l'Afghan.

— Le sang d'Ahmed a giclé sur les concombres, constata Sergiu avec dépit. Il va falloir les jeter...

L'Afghan sourit.

— Laisse tomber. On s'en fiche, personne n'y connaît rien en chawarma, ici.

5

— Tenez, et signez-moi ce reçu, déclara Petrescu avec un large sourire, en déposant le téléviseur dans la studette de la danseuse cambriolée.

Celle-ci poussa un petit cri. Après avoir refusé la maigre collation qu'elle lui proposait (« Il faut garder la ligne », avait expliqué la ballerine en rougissant, mais il avait deviné qu'elle n'avait simplement pas assez d'argent pour s'acheter une nourriture décente), le lieutenant Petrescu décida de visiter son immeuble.

La bâtisse de quatre étages, à moitié en ruine, était entourée de peupliers, justement en fleur, si bien qu'on avait du mal à voir quoi que ce soit à cause de leur duvet. Plissant les paupières, Petrescu descendit au troisième étage (la danseuse vivait au quatrième) et pénétra dans la cuisine communautaire. Quelque chose de juteux éclata sous sa chaussure. Lançant une bordée de jurons silencieux, Petrescu s'écarta du mur sur lequel rampaient plusieurs cafards bien gras, dont un spécimen s'était retrouvé sous ses pieds après avoir gagné le sol de la cuisine. Une casserole avait été abandonnée sur une plaque de cuisson, à présent noire de suie, et une nouvelle vie était en train de naître dans les entrailles du récipient.

De toute évidence, l'un des poivrots de l'immeuble l'avait oublié là, avec les reliefs de nourriture qu'il contenait. Et manifestement depuis longtemps. Petrescu souleva le couvercle – pour ce faire, il fut obligé de s'envelopper les doigts dans un mouchoir – et s'écarta de la cuisinière en grimaçant. L'impressionnable lieutenant se dit qu'il avait atterri dans un simulacre probable de l'enfer. Ni diable ni grincement de dents, non, mais la canicule de juin, la cuisine communautaire désaffectée d'un immeuble désaffecté du Lumpenproletariat, des cafards taciturnes, du duvet de peuplier. Et un silence accablant.

Aussi, en entendant soudain des sanglots plaintifs, Petrescu en vint-il à ressentir un pincement de joie.

— Ce n'est donc pas encore l'enfer, chuchota-t-il à la casserole, avant de sortir de la cuisine. C'est juste sa version de démonstration.

Les pleurs provenaient, à ce qu'il apparut, d'une petite femme à la face noiraude vêtue d'un peignoir malpropre. Elle avait de quoi être chagrinée, car un jeune type replet, avec une boucle d'oreille, l'agrippait par le cou. Et tenait un énorme cadenas au-dessus de la tête de la malheureuse.

— Monsieur Lorinkov, intervint Petrescu, stupéfait, en écartant le gros père de sa victime, qu'est-ce que vous faites ?

Lorinkov était la fameuse tête que le lieutenant, emporté par sa fougue, avait coincée dans une porte pendant un interrogatoire. Ainsi que Sergueï l'avait appris en enquêtant sur le vol du chauffe-eau chez Lorinkov, ce dernier se prénommait Vladimir et travaillait pour le journal d'opposition *La Démocratie*. Il avait déménagé dans ce quartier pauvre en raison de ce qu'il avait appelé des

« circonstances personnelles ». De toute évidence, il l'avait mystifié.

— Voyez-vous… avait-il confié à l'oreille de Petrescu, dont il avait fait tourner le bouton supérieur de la tunique, les yeux rivés à son menton. J'ai un talent fou. Et j'ai l'intention d'écrire un livre. Mais je suis tout simplement dans l'incapacité d'y parvenir si je reste dans mon ancien logement : j'ai beaucoup d'amis, ils me rendent sans cesse visite, ça fait du remue-ménage, du brouhaha, du raffut… Alors qu'ici, j'ai la paix. Et puis cette piaule me fait penser aux mansardes des appartements parisiens. Que faut-il de plus pour que s'épanouisse l'inspiration d'un génie moldave ? Bon sang, je suis digne de Paris, et j'y arriverai ! Qui d'autre qu'un Moldave roumanophone pour porter haut les couleurs de la Bessarabie en France ?

À côté de ça, le gros Lorinkov avait également fait allusion à certaines relations avec certaines femmes qu'il aurait bien voulu rompre, anéantir (oh, les relations, bien sûr, juste les relations !). Or pour ce faire, il devait changer d'adresse. Aussi s'était-il retrouvé dans l'obligation de verrouiller à double tour toutes les portes d'un bel appartement pour foncer tête baissée ici, dans ce paradis pour clochards, pour marginaux et pour lui, futur Villon moldave. Futur en ce qui concernait la reconnaissance, mais non le talent, car question talent, il était déjà le Villon moldave.

Petrescu comprit que Lorinkov avait perdu son bel appartement à force de boire.

Le gros lard forçait manifestement sur la bouteille : il empestait l'alcool pendant leur première discussion, et encore à présent, ça fouettait.

— Mais qu'est-ce que vous faites ? répéta le lieutenant en confisquant doucement le cadenas de Vladimir.

Le gros plumitif s'accroupit, le souffle court.

— Combien de fois je leur ai répété! maugréa-t-il sans regarder le lieutenant. Si vous utilisez les toilettes communes, interdiction de fumer là-dedans. Surtout ces atroces cigarettes à deux balles!

— Vous avez les nerfs à fleur de peau, constata Petrescu après avoir jaugé Lorinkov du regard. Il faut vous reposer un peu. Vous alimenter correctement. Récupérer le sommeil en retard. Boire moins.

— Je vous en prie, bougonna Lorinkov, pas devant cette créature.

Concernant la créature, Petrescu ne pouvait faire autrement que d'en convenir : la femme était sans contredit une saoularde déclassée. Si la mère de Serguei avait vu en cet instant la personne que son fils tenait par le collet, lui qui était toujours vêtu avec le plus grand soin, elle en aurait fait une syncope. L'ivrognesse éclata en sanglots, se mit à bredouiller quelque chose, faillit mordre la main de Petrescu, puis s'en fut en titubant jusqu'à son réduit.

— Voilà comment nous vivons, *tenete*, déclara l'écrivain déconfit avec un clin d'œil à l'intention de Serguei.

— Qu'est-ce que vous avez dit?

— Lieutenant. En italien, *tenete*, ça veut dire lieutenant.

— Vous parlez italien? demanda Serguei, agréablement surpris.

— Non, fit Lorinkov, embarrassé. Je connais juste un mot ou deux.

— Au fait, se souvint Petrescu, je voulais vous dire qu'on avait retrouvé votre chauffe-eau.

— Ah, oui, merci, *tenete*. Vous n'avez rien contre le fait que je vous appelle comme ça?

— Je vous en prie, consentit Sergueï, perplexe. Appelez-moi comme vous voulez. Le plus important, c'est de ne pas enfreindre la loi. Pour le reste, nous sommes des gens libres dans un pays libre.

— Ô, inflexible champion de la légalité ! (Lorinkov leva les bras au ciel, prenant la pose avec un soupçon d'affectation.) Vous incarnez l'incorruptible gardien de l'ordre. Le défenseur des faibles. Des veuves. Des orphelins.

— Vous êtes orphelin ? demanda Petrescu dont la voix vibra d'une compassion sincère.

— Non, n'y prêtez pas attention, *tenete*. C'était juste une plaisanterie.

— Pour récupérer votre chauffe-eau, vous devrez vous rendre au commissariat, répliqua Sergueï en essuyant la sueur qui lui coulait sur le front. En cas de besoin, on vous aidera à le transporter jusqu'ici.

L'écrivain Lorinkov se confondit en remerciements et, pendant une minute, Petrescu eut la sensation que cette vie avait un sens, en dépit de la canicule et du duvet de peuplier. Et que la vie en général n'était pas si mauvaise, surtout pour un lieutenant de police qui venait de rendre à deux infortunés le bien qu'on leur avait volé. Tout en savourant cette réflexion, il serra la main de Lorinkov et gagna la cage d'escalier.

— Lieutenant, le rappela le journaliste éméché de *La Démocratie*.

Petrescu se retourna, sourire aux lèvres et sourcils haussés. Lorinkov lui adressa un sourire obséquieux.

— Vous voulez que je vous lise quelques vers de ma composition ?

6

— Ô, Natalya, ta peau est blanche comme les jeunes grains de maïs, et succulente, comme les jeunes grains de maïs. Les poils de ton entrejambe sont aussi bouclés que ceux d'un jeune épi. Je t'écorche à coups de dents, mon épi, je mâche ta chair laiteuse. Ton corps est aussi brûlant qu'une feuille roussie au soleil, tes lèvres, enduites de salive, sont humides comme la terre après un orage d'été, et aussi vite que cette terre, elles s'assèchent. Pardi, c'est que j'aime boire ta salive pure comme l'eau de source, qu'aucune boue n'est venue souiller. Entre tes jambes, la chaleur est aussi écrasante que dans l'enfer de mes insomnies. Ô, Natalya...

Allongée sous le corps pesant de Constantin Tanase, la jeune femme riait. Elle était l'amour venu enflammer le directeur du SIS sur le tard : celui-ci se surprenait en effet à penser que, ces derniers temps, seuls Natalya et les terroristes qu'il devait absolument localiser – sinon à quoi aurait rimé son travail ? – occupaient son esprit. Et même – toutefois il redoutait encore de se faire cet aveu –, il songeait moins aux terroristes qu'à Natalya. Cela faisait tout juste un an – « une année entière », disait-elle – qu'il avait rencontré cette jolie secrétaire, salariée d'une entreprise privée, et Constantin éprouvait avec douleur leur différence d'âge, cette même différence qui permettait à Natalya de qualifier d'une « année entière » les quelques instants qui avaient filé comme un éclair au crépuscule de sa vie à lui. Natalya ignorait que Constantin dirigeait le principal office de renseignements de Moldavie. Mais si elle l'avait su, cela n'aurait pas produit la moindre impression sur elle.

— Ce qui me plaît, c'est que tu tiens longtemps, le cajolait la jeune fille en se léchant les doigts. J'ai le temps de jouir plusieurs fois. Le reste, je m'en fous.

Et elle s'esclaffait quand Constantin, éreinté par la stérilité de son travail, la canicule, sa famille, ses subordonnés, Chisinau, la vie, tout, lui chuchotait enfin :

— Natalya, ta peau est blanche comme les jeunes grains de maïs, et succulente, comme les jeunes grains de maïs. Les poils de ton entrejambe sont aussi bouclés que ceux d'un jeune épi. Je t'écorche à coups de dents, mon épi, je mâche ta chair laiteuse. Ton corps…

Et il se pressait contre elle. Alors elle se renversait en arrière, lui plaquait la tête entre ses seins et commençait à palpiter. Dans des moments pareils, Tanase oubliait que la jeune femme risquait de le mordre, ce qui rendrait un scandale domestique inévitable. Rien à foutre. Il n'en avait rien à foutre. Il songeait même à divorcer. Pas maintenant. Un tout petit peu plus tard, quand il pourrait quitter le service. Mais il n'en parlait pas à Natalya : le directeur du SIS comprenait fort bien que la jeune femme tournerait son projet en ridicule. Elle le voulait comme amant, tandis qu'il avait besoin d'elle en entier.

— Eh ben, tu as de ces comparaisons! (Natalya était allongée sur le flanc, à côté de Constantin qui reprenait des forces.) Un vrai poète.

— Presque aussi bon que Pavic, ricana Constantin, le souffle court.

À l'éclat insouciant qui brillait dans les yeux de sa maîtresse, il comprenait que le nom de famille qu'il venait de glisser dans la conversation n'éveillait aucun écho en elle. De façon générale, elle ne lisait rien, à part des journaux. Et même cette habitude, il la trouvait charmante.

— Quand j'aurai envie de coucher avec un philosophe, j'irai dans l'oblast de Kaliningrad, expliquait-il à ses amis. Et je dormirai sur la tombe de Kant.

À vrai dire, sa relation avec Natalya était assombrie par le fait qu'ils se rencontraient trop rarement, toujours dans des appartements de location (jamais chez elle, alors qu'il aurait tant aimé s'y rendre) et toujours à son initiative à elle, qui l'appelait pour fixer les rendez-vous.

— En tant qu'homme, chérie, protestait Constantin en rajustant sa cravate, j'aime bien avoir la sensation que quelque chose dépend aussi de moi.

— Mais rien ne dépend de toi, mon gros pépère, répliquait-elle en bondissant du lit. Rien-du-tout.

Et elle s'esclaffait de nouveau. Incapable de se retenir, Constantin souriait et l'enlaçait, inspirant avidement l'odeur qui montait de l'encolure du chemisier passé sur son corps nu.

— Tu couches avec quelqu'un d'autre? demandait-il, la joue appuyée sur le sommet de son crâne.

— Oui, lâchait-elle.

— Avec qui ? insistait Tanase, aiguillonné par la jalousie qui le tourmentait.

— Avec Quelqu'un d'Autre, le taquinait la jeune femme, qui partait se rhabiller en dansant à l'autre bout de la pièce.

Dévasté, Constantin s'approchait de la fenêtre et observait d'un air lugubre l'aiguille du vieil hôtel London, situé presque au centre de Chisinau. De là, on voyait à peu de choses près tout le cœur de la ville, même le kiosque où les étudiants arabes achetaient leurs chawarmas. *Ce serait bien d'en goûter un, au moins une fois,* songeait paresseusement Constantin en aspirant une bouffée de cigarette. *C'est délicieux, à ce qu'on raconte.*

— Ne complique pas les choses, lançait Natacha qui s'amusait bien. On prend du bon temps, c'est tout.

— Oui, oui, admettait Tanase en poussant un bruyant soupir. Tu as un rêve ? ajoutait-il.

— Pourquoi ?

Elle répondait rarement aux questions, ce qui le mettait hors de lui, même s'il parvenait encore à se contenir.

— J'aurais dégotté le magasin où l'on vend les rêves et je t'aurais acheté ton rêve le plus secret.

— Tu es un poète, comme tous les Moldaves, gloussait Natalya en enfilant ses collants. Et comme tous les Moldaves, un mauvais poète.

— Chauvine, protestait-il en lui donnant une petite tape sur les fesses.

Elle l'attrapait par la main, costume et cravate atterrissaient de nouveau sous le canapé, elle renversait une fois de plus la tête en arrière, et encore, encore et encore, plaquant ses hanches contre le vieux canapé (*Je suis un pressoir à raison*, se disait-il en haletant), Constantin chuchotait, tandis qu'il lui empoignait les cheveux :

— Les poils de ton entrejambe sont aussi bouclés que ceux d'un jeune épi. Je t'écorche à coups de dents, mon épi, je mâche ta chair laiteuse. Ton corps…

À l'occasion de leur septième rendez-vous, elle lui servit en rigolant un plat de maïs bouilli.

7

— Oussama, implora Saïd en s'inclinant devant le taciturne Afghan. Permets-moi d'être ton bras droit. Tu es un grand homme. Avoir eu l'idée de te cacher ici, dans ce trou perdu, alors que ces chacals d'Américains te traquent à travers le monde entier…

L'Afghan haussa les sourcils d'un air dubitatif et, pour seule réaction, il détailla ses légumes encore plus vite. Après qu'ils eurent tué Ahmed, à qui la tâche incombait, ce fut au tour d'Oussama de s'occuper des oignons. Saïd était toujours agenouillé, les lèvres tendues vers un pan de la chemise de l'Afghan. Pendant quelques minutes, les hommes poursuivirent leur travail sans rien ajouter, puis, n'y tenant plus, l'Afghan interrogea enfin Sergiu.

— Qu'est-ce qui lui prend ?

— Il pense que vous êtes Ben Laden, répondit le gendre du propriétaire avec le plus grand respect.

— Mais pourquoi donc ?

— Eh ben, primo, commença Sergiu d'un ton hésitant, vous vous appelez Oussama…

— Logique implacable, ricana Oussama. Rien à dire.

— Secundo, vous lui ressemblez beaucoup.

— À qui ?

— Au grand combattant, à la terreur des infidèles, à Ben Laden, quoi, répondit Saïd, mettant un terme au silence déférent qu'il observait depuis le sol.

— Si je comprends bien, je ressemble à Ben Laden, conclut Oussama d'un air chagrin, tout en épluchant un dernier oignon.

— Exactement! répliqua Saïd qui, transporté, recommença à baiser le bas de la chemise d'Oussama.

— Mais comment pourrais-je être Ben Laden, si je ne fais que lui ressembler? s'enquit Oussama d'un ton mauvais.

Il s'arrêta un instant de détailler son oignon.

Sergiu crut que le kiosque à chawarmas allait bientôt redevenir le théâtre d'un nouveau meurtre. Sa gorge se serra, mais il n'esquissa aucun geste pour attraper la main d'Oussama : Sergiu craignait les musulmans, qu'il considérait comme des gens aussi fous que cruels. Quand, en sa présence, ses collègues arabes se mettaient à discuter entre eux dans leur langue, il avait l'impression qu'ils préparaient un attentat terroriste. Ni plus ni moins. *Des animaux sans pitié*, se disait-il en versant de la sauce sur un chawarma, avec un mélange d'effroi et d'enthousiasme. C'était justement la raison pour laquelle il avait épousé la fille du propriétaire : dans le but que tous le redoutent, lui, Sergiu, gendre d'un musulman fou et cruel. Et dans sa grande bonhomie, Mahmoud n'aurait jamais soupçonné les calculs de son gendre.

— Et donc, vous n'êtes pas Oussama.

Le chuchotement rauque émis par Saïd résonna de façon particulièrement désagréable dans le kiosque.

— Au contraire, mon ami, je suis Oussama, gloussa l'Afghan.

— Ô, grand chef! (Saïd rampait de nouveau à genoux devant son collègue.) Comme tu es sage et intelligent! L'espace d'un instant, tu m'as même convaincu que tu n'étais pas Oussama.

— Mais bien sûr que si, je suis Oussama, répliqua l'Afghan en lui tapotant l'épaule. Et maintenant, relève-toi et tranche ces tomates.

Essuyant une larme de joie, Saïd se redressa, frotta ses genoux et se remit au travail.

Au petit matin, quand leur service s'acheva, Sergiu rentra chez lui par le parc qui jouxtait la cathédrale. Quand une femme apparut à l'extrémité du passage clouté qu'il empruntait, Sergiu ne suspecta rien. Il en fut même enchanté : la vue des jolies femmes, surtout en cette période estivale, lui procurait du plaisir, car leur peau, tantôt d'un blanc laiteux, tantôt basanée, se couvrait alors de gouttelettes de sueur. Sergiu éprouvait une délectation particulière à la pensée qu'en regagnant leur maison, où elles retrouveraient leur homme ou leur petit ami, elles allaient s'allonger sous lui, vibrer, et que toutes verraient leur lèvre supérieure s'orner elle aussi de gouttelettes de sueur. De minuscules gouttelettes… Et en lieu et place des maris et petits amis, c'était Sergiu qui les chevauchait…

— Malédiction! hurla-t-il, soudain détourné de ses délicieuses rêveries.

La femme qu'il venait de croiser avait jeté trois fleurs rouges à ses pieds. La panique du pauvre gars n'était pas feinte : comme de nombreux habitants de Moldavie, il était très superstitieux et croyait aux paroles magiques, sorts et malédictions diverses. Or Sergiu en était plus que certain, trois fleurs lancées à vos pieds par une inconnue ne pouvaient relever de rien d'autre que de la magie noire.

— Chienne! aboya-t-il à l'intention de la femme qui s'éloignait sans se presser. Maudite sorcière! Ordure! C'est vraiment dommage qu'on ait arrêté de vous brûler!

La cloche de la cathédrale se mit à sonner, et Sergiu frémit de nouveau. Sa belle humeur était définitivement gâchée. Il devait entrer au plus vite dans l'église pour prier un coup et allumer deux, trois cierges, histoire que leur force bénéfique fasse obstacle à la magie noire. Il ne se posa pas la question de savoir qui avait éprouvé le besoin de lui jeter une malédiction. Étant lui-même d'un naturel envieux, il n'imaginait pas son entourage autrement et se supposait donc une multitude d'ennemis.

— Donnez-moi trois gros cierges, trois moyens et trois très fins, demanda-t-il à la paroissienne qui vendait des babioles dans le sanctuaire.

Un corbeau perché en haut d'un peuplier adressa quelques croassements moqueurs à l'attention de Sergiu. Après avoir jeté un coup d'œil en direction du parc, il blêmit. Alors même qu'il était déjà huit heures du matin – à cette heure-là, les lieux grouillaient normalement de citadins courant au travail –, l'endroit était désert.

— Où sont passés les gens? marmonna-t-il en claquant des dents, tout en essayant d'allumer une bougie, malgré le vent qui s'était mis tout à coup à souffler.

— On est samedi, aujourd'hui, c'est le week-end, lui expliqua la paroissienne avec indifférence.

8

Ayant quelque peu recouvré son calme, Sergiu pénétra dans l'église. Comme de coutume, l'endroit était clair et agréable : des centaines de cierges brûlaient dans des socles dorés devant les icônes. Sergiu fit un rapide signe de croix, puis s'agenouilla avant de ramper – *Exactement comme Saïd avec Oussama*, songea-t-il, et très vite, il repoussa cette pensée importune – jusqu'à l'icône de la Mère de Dieu aux trois mains. Il s'agissait du tableau le plus illustre de Moldavie, apporté là depuis le mont Athos. La Vierge Marie, qui utilisait deux mains pour presser tendrement l'enfant contre son sein, et caressait la tête du petit Jésus avec la troisième, croulait sous les bagues, chaînettes et boucles d'oreilles, offrandes de paroissiens pleins de gratitude pour les miracles accomplis. Sergiu ne croyait guère aux miracles, mais il n'avait tout simplement pas le choix : après l'effondrement de l'Union soviétique et une fois volatilisée la foi puissante qu'était le marxisme dialectique, il était indispensable de trouver d'autres forces protectrices. Il y avait en tout et pour tout vingt ans de cela – Sergiu se souvenait avec précision de cette époque –, alors qu'il travaillait comme ingénieur à l'usine de bonbons Bucuria, il cachait encore le quatorzième tome des œuvres complètes de Vladimir Lénine derrière son armoire. Le soir, en rentrant éreinté du travail, l'ingénieur célibataire tirait ce livre à la couverture grise de sa planque, le posait par terre et l'entourait de quelques bougies préalablement allumées. Quand il avait besoin de quelque chose, Sergiu priait sur le quatorzième tome des œuvres complètes de Lénine, et un jour, il avait même versé quelques gouttes de vin dessus et brûlé un petit morceau de viande sur la vingt-septième page après l'avoir arrachée du livre. Le rituel s'était d'ailleurs révélé efficace, cette fois-là : son salaire avait fait un bond de cent cinquante à cent soixante roubles !

Après la chute de l'Union et l'indépendance de la Moldavie, Sergiu, mû par la force de l'inertie, fit encore quelques sacrifices au quatorzième tome de Lénine, mais le grand livre restait muet. Que ses sortilèges se soient dissipés avec l'effondrement de l'empire ou que l'esprit du grand révolutionnaire refuse à présent d'aider ceux qui avaient détruit le pays fondé par lui, toujours est-il que les prières et sacrifices de Sergiu demeurèrent sans résultat. Même le jour où, au désespoir, l'ingénieur s'entailla prudemment la main à l'aide d'une lame pour verser une goutte de son sang sur les pages, le quatorzième tome se mura dans son silence et l'usine où travaillait Sergiu fut fermée. Il se rappelait nettement la période : les ouvriers de toutes les fabriques et usines de Chisinau se retrouvèrent au chômage et durent, pour survivre, se faire brocanteurs dans les marchés aux puces qui avaient ouvert spontanément à travers toute la ville.

En 1994, Sergiu effectua une dernière tentative avec le quatorzième tome de Lénine, quand, après quelques années de brocante dans les puces du centre-ville, il eut réussi à amasser un petit pécule. L'époque était insensée, l'inflation monstrueuse. Alors, pour ne pas perdre en une semaine tout l'argent qu'il avait gagné, Sergiu décida de l'investir dans l'achat d'un lot de linceuls.

— Des linceuls de luxe! lui avait affirmé le vendeur, un Polonais affairé, pour vanter sa marchandise. Vous en trouverez pas de pareils. La matière, c'est de la grande qualité! Admirez la blancheur du tissu. Rien à voir avec les chiffons grisâtres dans lesquels vous enveloppez vos défunts, par ici. Mon produit est réputé dans toute l'Europe de l'Est. À ma mort, je veux qu'on m'enveloppe dans un linceul de cette qualité!

Sergiu acheta les suaires et, quelques jours durant, sa vieille Jigouli fit le tour des églises et monastères de Moldavie. Avant d'entamer sa tournée, l'ingénieur avait tiré de derrière son armoire le tome déjà empoussiéré de Lénine.

— C'est la dernière demande que je t'adresse, comme à un ami. Aide-moi! chuchota-t-il au livre.

Il fit tomber quelques gouttes de vin sur la couverture, glissa un petit morceau de chocolat entre ses pages (avant la fermeture de l'usine, les employés avaient reçu leur indemnité de départ en nature) et appuya sur le livre. De cette manière, le quatorzième tome des œuvres complètes de Lénine avait reçu à manger et à boire. Et Sergiu, que cette cérémonie avait en partie ragaillardi, s'en alla vendre ses linceuls.

— Mon père, déclara-t-il en titubant légèrement – car il avait bu – au supérieur du monastère de Capriana, achetez-moi des linceuls. Je vous les céderai pour presque rien, et vous ferez ensuite vos marges avec vos ouailles, quand elles vous amèneront leurs défunts pour l'office des morts. Mes linceuls, c'est un régal pour les yeux! Le grand luxe! Les meilleurs linceuls de toute l'Europe de l'Est!

— Mon fils, répondit le prêtre, qui chancela en arborant un air pensif – car il était légèrement pompette lui aussi –, tu auras beau dire, le halva...

— N'en sera pas plus suave pour autant.

Sergiu, qui tirait ses linceuls du coffre de sa voiture, avait voulu briller par sa connaissance des proverbes et autres dictons.

— Tu auras beau dire, le halva, le diabétique n'en voudra pas, rectifia le prêtre d'un air indifférent, tout en examinant les linceuls.

— Pourquoi vous dites ça, *padre*? s'enquit Sergiu, que la réplique avait même vaguement dessaoulé.

— Ne m'appelle pas « *padre* », mais « mon père »!

— Excusez-moi, mon père. Mais pourquoi vous dites ça, alors?

— Parce que nous, défunts orthodoxes, pontifia le pope, nous utilisons d'autres linceuls. Regarde, les tiens sont vierges et unis alors que nous, les orthodoxes, au moment de rendre notre âme à Dieu, nous nous enveloppons de linceuls à l'effigie du Christ et décorés de quelques croix.

— Eh bien, achetez-moi ceux-ci et vous les peindrez ensuite! s'écria Sergiu au désespoir.

— Je ne suis pas peintre, mon fils, répliqua le prêtre orthodoxe avec une ironie cruelle.

Sur quoi il indiqua un prix si ridicule que Sergiu ne trouva que des jurons à lui répondre. En quittant le monastère, Sergiu savait ce qu'il ferait sitôt franchi le seuil de son logis : il balancerait le quatorzième tome des œuvres complètes de Lénine au vide-ordures. Et ainsi fit-il. Après quoi, l'ingénieur acheta sans tarder un pot de peinture noire, un dépliant montrant le visage du Christ et une feuille de papier carbone. En deux jours, il réussit à peinturlurer tant bien que mal sur chaque linceul ce que tout bon défunt orthodoxe souhaiterait y voir, et il reprit la direction du monastère de Capriana. Mais l'époque, répétons-le, était troublée. Et l'argent n'était pas seul à se déprécier en une semaine.

— Bonjour, mon père! lança joyeusement Sergiu en s'extirpant de son véhicule. Me revoici!

Il s'agissait d'un autre prêtre, cette fois.

— Ne m'appelle pas « mon père », mais « *padre* »! rétorqua sèchement le jeune ministre du culte au menton glabre et à la tonsure luisant au soleil. Cela fait déjà trois jours que ce monastère est revenu dans le giron de l'Église catholique.

— Mais c'est cool! approuva Sergiu à tout hasard, faute d'entendre quoi que ce soit aux frictions entre les Églises d'Orient et d'Occident.

— Ce n'est qu'un juste retour des choses, renchérit le prêtre, puisque avant la guerre, ce monastère nous appartenait, à nous les catholiques. Il n'a été donné aux orthodoxes qu'à l'arrivée des Soviets. Mais à présent que la Loi sur le retour des biens à leurs propriétaires a été promulguée, tout est rentré dans l'ordre, loué soit le Seigneur.

— Si vous saviez comme je suis content, mon pè… *padre*! s'écria Sergiu, au bord des larmes. Et l'on pourrait dire que c'est Dieu qui m'envoie vers vous. Car vous venez à peine de vous installer et vous avez besoin de toutes sortes de choses. Je vous ai apporté des linceuls. Les meilleurs linceuls d'Europe de l'Est !

— Mon fils, déplora le prêtre après un coup d'œil aux fameux suaires, nos défunts catholiques utilisent d'autres linceuls. Regarde, les tiens sont à l'effigie du Christ et décorés de quelques croix, alors que nous, les catholiques, au moment de rendre notre âme à Dieu, nous nous enveloppons de draps vierges et unis.

— Eh bien, achetez-moi ceux-ci et vous les laverez ensuite ! s'écria Sergiu au désespoir.

— Je ne suis pas blanchisseuse, mon fils !

Le prêtre catholique partit d'un rire tout aussi cruel que l'orthodoxe.

De retour chez lui, Sergiu s'adonna à la boisson. Une fois qu'il eut nettoyé les suaires, il les vendit presque tous en l'espace d'un an, faisant passer sa marchandise pour des draps. À dire vrai, une partie des linceuls lui resta quand même sur les bras.

Deux d'entre eux lui tenaient lieu de rideaux.

9

Après une demi-heure de méditation, Sergiu réussit à chasser le désagréable souvenir des linceuls. Jetant un regard de biais sur l'icône de la Mère de Dieu aux trois mains, il se demanda avec inquiétude si son silence n'était pas une manière de se venger des prières que lui, ingénieur soviétique, avait adressées pendant plusieurs années au quatorzième tome des œuvres complètes de V. I. Lénine.

— Pardonne le païen que je suis, bredouilla Sergiu en essayant de verser une larme. (Il se frappa la poitrine du poing.) Pardonne à un impur. Et pardonne-moi aussi d'avoir épousé la fille d'un païen.

Il ne faisait aucun doute que son mariage avec Zuhra, la fille de Mahmoud, le propriétaire du kiosque à chawarmas, était un péché. Oui, Sergiu le comprenait parfaitement. Surtout qu'il n'aimait pas Zuhra plus que cela. Mais ce mariage lui était profitable à de multiples égards et un mariage profitable vous rachetait de vos péchés, un rachat au sens propre du terme. Ce mariage était un cas rarissime pour la Moldavie : autant les filles moldaves épousaient souvent des étrangers, autant le mariage d'un Moldave avec une étrangère... qui plus est, issue d'une famille musulmane... Les noces eurent lieu seulement parce que

Mahmoud, comme tous les hommes d'action, n'accordait aucune importance à la religion (s'il en accordait, ce n'était qu'en paroles) et aspirait à s'établir définitivement en Moldavie. À se faire « naturaliser », comme on dit.

Bien entendu, Sergiu avait toujours rêvé de s'enrichir, ce qui était d'ailleurs toujours le cas alors qu'il se tenait agenouillé dans cette église. Et il souhaitait mettre enfin un terme à sa dépendance envers son beau-père débonnaire et sa fille placide au teint olivâtre, dont la peau prenait des reflets brillants sous n'importe quel éclairage. Non que Zuhra ne l'attire pas physiquement : pour ses trente-sept ans, sa silhouette était remarquable, et son caractère tout ce qu'il y avait d'accommodant (son père tout craché). Mais la pensée qu'il était un vassal dans cette famille ne laissait pas Sergiu en repos. Et si jamais, à Dieu ne plaise, Zuhra décidait de divorcer, il en serait de nouveau réduit à sillonner le marché aux puces.

— Vierge Marie, mère de Dieu, implora-t-il, le souffle court, en se prosternant au pied de l'icône, donne-moi la possibilité de m'enrichir. De m'élever. Un entrepôt de marchandises et deux petits magasins, ça m'irait bien. Je m'acquitterai de ma dette envers toi, je ne te laisserai pas en rade, question offrandes. Je te financerai un châssis doré. Seulement, permets-moi de m'enrichir. Je fais œuvre utile, Mère de Dieu, œuvre utile.

Son petit mensonge adressé à l'icône, Sergiu se releva et un coup d'œil furtif lui permit de s'assurer qu'il pouvait ôter du châssis une paire de boucles d'oreilles en or, attendu que le gardien de la cathédrale s'était détourné. *Bon, comme ça tu m'auras au moins servi à quelque chose*, songea gaiement Sergiu, qui décida de faire un tour dans l'église. Son attention fut attirée par une icône dans un coin : un grand et vénérable vieillard à la longue barbe était représenté assis sur un tapis, entouré de gens en armes. Le vieillard lui rappelait nettement quelqu'un.

— Hé! interpella-t-il le gardien. Qu'est-ce que c'est, comme icône?

— Celle-ci? Celle-ci, elle montre saint Mathusalem le Stambouliote. Le pauvre, il était marchand à Istanbul… C'était un musulman, jusqu'à ce qu'il arrive à comprendre la foi orthodoxe. Alors du coup, ces impies de Turcs l'ont mis à mort.

— Mathusalem…

Sergiu s'était déjà détourné quand l'émotion le fit brusquement sursauter. Oussama! Voilà quelle personne lui rappelait ce Mathusalem, cette vieille icône qui portait un regard soumis et persécuté sur les profondeurs de l'église. Oussama… Si c'était bien ce drôle de barbu qui avait causé tout le chambardement en Amérique, on donnerait une sacrée somme pour le capturer! Sergiu se souvint d'avoir vu un soir, au journal télévisé, que la tête de Ben Laden était mise à prix pour vingt-cinq millions de dollars. Sainte Mère de Dieu aux trois mains! Elle ne le gratifiait pas d'un entrepôt et de deux petits magasins. Avec un fric pareil, on pouvait devenir président de la Moldavie! D'autant qu'Oussama lui-même l'avait confirmé : « Oui, qu'il avait fait, je suis Oussama. »

Il ne restait plus que deux problèmes importants à résoudre. Primo : comment livrer Oussama aux autorités sans que des fanatiques ne viennent ensuite l'égorger, lui, Sergiu? La deuxième question qui le tourmentait pouvait être formulée ainsi : sous quelle forme livrer Oussama aux autorités ? En un seul morceau ? Ou bien devait-il se charger lui-même de lui trancher la tête ? Car le journaliste avait dit : « On offre vingt-cinq millions de dollars pour la tête d'Oussama ben Laden. »

Si je le leur remets mort, se tourmentait Sergiu, *ne chercheront-ils pas à me mener en bateau ? Peut-être devrais-je plutôt leur dire que je sais où se cache l'ennemi public n° 1, prendre l'argent, et ensuite les conduire à lui ? Mais alors, ils n'auront aucun mal à me filer et captureront Oussama sans me donner un sou. Et dans ce cas, ça me ferait de la peine pour Oussama, qui est un gars sympa, au fond. Ça rimerait à quoi, ses souffrances, si ça se passe comme ça ? À rien, au final. D'un autre côté, pourquoi essaieraient-ils de m'arnaquer ? Les Américains sont un peuple honnête et généreux. Quoique,* décida finalement Sergiu, *mieux vaut procéder de la façon suivante : s'adresser aux services secrets moldaves, partager l'info avec un type de chez eux, et qu'ils se chargent eux-mêmes d'attraper Oussama. Ce sera plus sûr.* Sergiu parvint à se calmer quelque peu. Sa décision était arrêtée. Il n'attendait plus qu'une confirmation d'en haut.

— Sainte Mère de Dieu aux trois mains, implora de nouveau Sergiu, qui avait regagné l'icône d'un bond et remis en place les boucles d'oreilles volées un peu plus tôt. Aide-moi, fortifie-moi dans ma foi et tire-moi du doute !

La Mère de Dieu noircie souriait tendrement à Sergiu, les yeux dirigés sur le côté. Suivant la direction de son regard, Sergiu poussa un cri. L'icône fixait le téléphone qui trônait sur un présentoir à l'entrée de l'église.

— Ô, miséricordieuse, je te remercie, chuchota Sergiu en baisant le sol devant l'icône. Un châssis en or, oui, un châssis en or…

Une fois debout, il se frotta les genoux, recula un peu, puis revint sur ses pas et, s'emparant de nouveau des boucles d'oreilles en or, il se dirigea vers la sortie en lançant ces mots :

— C'est temporaire !

Près de l'entrée, il paya le prix d'une communication à la paroissienne et commençait à composer le numéro des renseignements quand il revit la femme qui avait jeté des fleurs à ses pieds. À présent, il interprétait son geste comme un signe favorable. Car enfin, si elle ne l'avait pas accompli, il ne serait pas entré dans la cathédrale, n'aurait pas conversé avec la Mère de Dieu et n'aurait jamais compris comment s'y prendre pour gagner une montagne d'oseille. La femme souriait en éparpillant des fleurs devant les pigeons. Effrayés tout autant que Sergiu l'avait été le matin même, ils s'écartaient des fleurs en reluquant la femme avec perplexité.

— C'est une mendiante, lui expliqua la paroissienne qui faisait commerce de cierges et de cartes téléphoniques. Une folle.

Sergiu hocha la tête et se hâta de composer la fin de son numéro.

— Allô, les renseignements ? Donnez-moi le téléphone du Service d'information et de sécurité.

10

Ce matin-là, à Chisinau, les érables avaient leur première montée de sève. Petrescu ne s'en serait pas aperçu s'il n'avait traversé le parc central qui bordait la cathédrale. Ce fut là, précisément, en contournant le clocher par la gauche, qu'il remarqua à quel point ses semelles collaient à l'asphalte : de fait, celui-ci était couvert de sève d'érable. Et ses semelles aussi, par la même occasion... Le lieutenant allait se hisser sur la pointe des pieds pour arracher une feuille et goûter cette fameuse sève, lorsqu'il entendit un grondement et se détourna des arbres.

Le grondement augmenta, augmenta, et bientôt, le centre-ville fut submergé par un mugissement puissant, aussitôt suivi par un complet silence. Alors, jugeant qu'il s'était trompé, Petrescu remonta la rue vers la Poste principale – il avait définitivement oublié les érables. Là-bas, parmi les rangées de compartiments accueillant le courrier en poste restante, se trouvait, entre autres, son casier.

La boîte de location numéro 1234/34-a.

« Natalya. Châtain, yeux verts, cultivée, calme, honnête, signe astrologique : Poisson, slave. 27/170/52. Libérée sexuellement. Désire rencontrer un jeune homme sérieux pour rendez-vous (pas très fréquents, sur son territoire à lui). Sens de l'humour bienvenu. Écrire à Chisinau, poste restante 1354-v. »

Le lieutenant Petrescu attendait une réponse.

Question vie personnelle, ça ne collait pas, cet été-là (peut-être qu'il n'y avait pas assez de sève d'érable pour ça). Il cherchait à rencontrer une femme. Il s'était séparé de la précédente, une Natalya elle aussi, d'ailleurs, car leur relation n'avait rien donné de valable. Sans doute attendaient-ils trop l'un de l'autre. Il l'avait invitée, régalée de pieuvre à l'étouffée, non sans avoir au préalable éclusé deux des trois bouteilles de pinot blanc sec destinées à la cuisson. Elle tenait un magasin de petits jouets, possédait une automobile et avait le cheveu rare. Bref, une vraie beauté.

Or le fameux jour où il cheminait dans le parc de la ville en direction de la Poste centrale pour aller récupérer la lettre d'une inconnue dont il comptait bien faire sa maîtresse, ce fameux jour, donc, était aussi le dernier où il avait partagé sa couche avec cette Natalya à la chevelure clairsemée. Ce matin-là, une fois douchée, elle avait pris son envol avec un petit coup de Klaxon à l'intention de Sergueï, posté derrière sa fenêtre (il habitait au rez-de-chaussée d'un immeuble du centre-ville), puis elle était sortie de sa cour. Il n'avait aucun regret. La nécessité de se montrer galant et le début inopiné (comme toujours en Moldavie) d'une canicule avaient fini par l'épuiser. Dans la mesure où elle considérait comme de son devoir de l'emmener passer le week-end à Vadul lui Voda[1], où la

---

1   Vadul lui Voda est une base de loisirs au bord du Dniestr. (N.d.l'A.)

chaleur était particulièrement écrasante, la perspective de relations ultérieures avec Natalya effrayait Petrescu.

Parvenu en face de la cathédrale, Petrescu jeta un coup d'œil sur sa gauche, en direction du kiosque à chawarmas. Le lieutenant aimait y manger un bout, tôt le matin, quand il sortait de son appartement où Natalya et lui s'étaient réveillés, après avoir trempé de la sueur de leurs corps des draps encore frais durant la nuit. Mais ce matin, curieusement, le kiosque était fermé. En s'étirant, le lieutenant se résigna mélancoliquement à prendre un casse-croûte dans le quartier minable de son commissariat.

À l'aube, encore embourbé dans le sommeil, il avait caressé la cuisse à la peau douce de Natalya. Elle portait un petit haut retroussé, d'où émergeait une poitrine aux dimensions imposantes (du 95D, pour être précis).

— Je veux te demander quelque chose, seulement, ne te moque pas de moi, avait-elle dit la veille, en scrutant Petrescu par-dessus son verre.

Le récipient contenait du chocolat chaud et le vent soufflait dans la direction de Petrescu, qui n'aimait pas le sucré. L'odeur du chocolat lui aurait donné la nausée si elle n'avait été atténuée par la fragrance de son parfum. Il repoussa une mèche de cheveux tombée sur son front et sourit pour l'encourager.

— Allez, vas-y.

— Tu ne sais pas comment se faire augmenter les seins ? Mais attention, sans crème ni médicaments.

D'ordinaire flegmatique, Petrescu éclata de rire comme un possédé, à tel point qu'il en bava sur son col.

— Qu'est-ce qu'il y a de drôle ? s'emporta-t-elle. Qu'est-ce qu'il y a de drôle, bon sang ? Des filles m'ont dit qu'une nana avait mangé des noix pendant trois semaines et que sa poitrine avait grossi! Ça arrive, des trucs comme ça.

— Je kiffe tes nichons, voulut-il la réconforter.

— Quel besoin tu as d'être aussi vulgaire ?

Petrescu alluma une cigarette, s'efforçant de ne pas recracher la fumée de son côté. Elle ne cautionnait pas la cigarette... D'ailleurs, de manière générale, elle désapprouvait beaucoup de choses.

— Non, mais vraiment, j'adore tes seins. Pourquoi tu en voudrais de plus gros ?

— Tu ne comprends rien, s'affligea-t-elle.

Ils se levèrent.

Au cinéma, ils virent *Le Pianiste* et, âme sensible s'il en est, Petrescu versa plus d'une fois sa petite larme. Après quoi, ils allèrent chez lui, se couchèrent, et beaucoup plus tard – vers trois heures du matin, pas avant –, Petrescu se réveilla en sursaut et s'allongea sur elle. Comme d'habitude, elle n'en fut pas particulièrement enchantée : pour reprendre ses propres mots, « le sexe en général ne lui plaisait pas ». Elle y voyait une obligation envers l'être aimé.

— Je prends la vie comme une chose sérieuse, affirmait-elle, or le sexe n'est pas une occupation sérieuse.

Elle avait indéniablement raison. Le lieutenant Petrescu ne connaissait rien de plus déréglé dans la vie que le sexe.

Trempé de sueur, il abandonna son corps et s'endormit. Et à l'aube, il observa son petit haut retroussé et caressa la peau douce de ses cuisses.

— Si tu considères tout avec tellement de sérieux, j'aimerais bien savoir pourquoi tu as tripoté mon matos cette nuit, bon sang! déclara Petrescu, tout sourire.

— Qu'est-ce que tu racontes ? fit-elle en rougissant sous la douche. Je n'ai rien touché du tout.

Aurait-ce été un rêve ? se demanda Petrescu, incrédule, tout en lui essuyant le dos.

Il la fit sortir de la salle de bains et, loquet tiré, urina dans le lavabo. Surtout ne pas oublier le loquet, et ne pas manger d'oignon avant d'aller se coucher, pour éviter que le lavabo refoule du goulot comme une pissotière. Vivant seul, Serguei Petrescu avait pu s'en convaincre à la force de l'expérience. Globalement, on apprend beaucoup sur soi dès que l'on commence à uriner dans son lavabo.

Une demi-heure plus tard, il agitait la main pour saluer la voiture blanche de Natalya qui s'éloignait, songeant qu'il la voyait pour la dernière fois de sa vie. Une heure après, il découvrait que les semelles de ses nouvelles chaussures adhéraient à l'asphalte sous les érables devant la cathédrale, s'apprêtait à goûter la sève de ces mêmes érables quand un grondement l'avait distrait, avant d'ailleurs de s'éteindre aussi vite qu'il était venu. Et quinze minutes plus tard encore, Petrescu ouvrait le compartiment de location numéro 1234/34-a où il trouva une lettre de la jeune femme châtain aux yeux verts, qui cherchait un homme pour des rendez-vous épisodiques. Le lieutenant espérait sincèrement qu'elle serait du genre dévergondé. Comme souvent le matin, il avait du mal à respirer, alors, sans lire la missive qu'il glissa dans sa poche, il se fraya un chemin vers la sortie : il y avait affluence ce jour-là à la Poste, parce qu'on était le 31 juin, dernier jour pour régler son loyer.

Petrescu allait sortir du bâtiment de la Poste quand il comprit soudain qu'il en était empêché, pour la bonne raison que les portes étaient solidement bloquées : toute la rue entre la Poste centrale et la mairie était envahie de monde. Un coup d'œil de chaque côté lui révéla que la foule s'étirait sur près de cinq kilomètres. *Autrement dit,* supputa aussitôt Serguei avec pédantisme, *trente mille personnes minimum se sont rassemblées dans le centre de Chisinau.*

— Non, mais regardez à quoi ils obligent les gens ! Vous avez vu tout ce monde qui vient payer son loyer !

Ignorant la stupide exclamation que venait de pousser un vieil homme à la serviette usée, Petrescu s'éloigna sans rien dire de la porte vitrée. Il venait de s'expliquer l'origine du grondement qu'il avait entendu monter de la place : une manifestation.

Puis l'on entendit comme un tambourinement. On aurait dit de la grêle, mais le soleil brillait trop fort. C'étaient les manifestants qui jetaient des pierres sur les cordons de policiers abrités derrière leurs boucliers. Il était tout simplement impossible de sortir. Petrescu appela le commissariat, pour prévenir qu'il serait en retard et peut-être même dans l'impossibilité de venir travailler (les manifestations n'étaient pas de son ressort, c'étaient les services de patrouille et de faction, la police antiémeute, les SOBR[1] et les services secrets qui s'en chargeaient); après quoi il s'accroupit non loin de la porte et ouvrit sa lettre.

« À en juger par ton message, nous pouvons faire affaire. À mon avis, un rendez-vous en ville nous sera suffisant pour décider si nous avons envie l'un de l'autre ou pas. Ensuite, nous ne nous retrouverons plus qu'au lit. J'espère

1   Unités spéciales d'intervention rapide. (N.d.T.)

que tu as bien compris ce dont j'ai besoin. Du sexe, du sexe et encore du sexe. Du sexe et rien d'autre. »

Eh bien, quoi ? Petrescu avait vingt-deux ans, et ce programme lui convenait parfaitement. Un large sourire se dessina sur son visage, et il relisait la lettre pour la neuvième fois quand les portes de la Poste tremblèrent. Un instant plus tard, ses vitres volèrent en éclats qui furent projetés sur le lieutenant. Quelqu'un y avait balancé une pierre. Un morceau de verre atterrit sur les genoux de Sergueï, en plein milieu de la fameuse lettre. La voie était libre. Le lieutenant pouvait enfin sortir de la Poste et se fondre dans la foule des manifestants.

Ce matin-là, Chisinau voyait débuter une série de révoltes estudiantines.

11

— Depuis ce matin, Chisinau, capitale de la république de Moldavie, est le théâtre de révoltes estudiantines massives. Provoquées par la décision du gouvernement de supprimer la gratuité des transports en commun pour les étudiants, ces manifestations se sont non seulement déclenchées dans les établissements d'enseignement supérieur de la capitale, mais également dans d'autres villes du pays. Ce sont pas moins de trente mille personnes qui prennent part à la contestation…

Il était affreusement inconfortable de dicter son article au téléphone – de temps à autre, la foule se mettait à rugir, et Vladimir Lorinkov devait élever la voix pour que le rédacteur continue à l'entendre au bout du fil. Ce faisant, il attirait l'attention des étudiants et de la police. Or les uns comme les autres représentaient un danger pour le journaliste. Les étudiants, car ils considéraient la presse comme un suppôt de la police et cherchaient donc à lapider un journaliste à la première occasion. La police, quant à elle, était persuadée que tous les malheurs venaient d'une presse trop libre. Rien d'étonnant, par conséquent, à ce que caresser à la matraque le dos d'un homme muni d'un magnétophone relève du dernier chic aux yeux de ses membres.

Derrière le cordon, tout près de la Maison du Gouvernement, se tenaient les pisse-copie au service du « régime en place », comme il était à la mode de s'exprimer en Moldavie. L'un d'eux – *Les Temps nouveaux*, semblait-il – était livide. Les étudiants de l'Université d'État venaient de bombarder à coups de pierres une équipe de la chaîne Pro-TV, dont un caméraman avait eu les deux jambes cassées. Un groupe de policiers dépassa les journalistes, à la poursuite de quatre jeunes gars dont le visage était masqué par un foulard. De l'autre côté de la rue, une jeune fille se mit à crier :

— Fascistes !

Petrescu s'arrêta devant la porte d'une banque et observa la scène. Il secoua la tête, navré. Non loin de lui, le lieutenant remarqua le journaliste Lorinkov, celui-là même à qui il avait rendu son chauffe-eau. Les deux hommes se saluèrent d'un bref signe du menton.

Le centre-ville évoquait un champ de bataille entre deux peuplades primitives. Les policiers et les étudiants se massaient, qui d'un côté de la place et qui de l'autre. Au milieu, on assistait à des échauffourées entre groupuscules. Le journaliste livide cracha par terre.

— Non, mais regarde comment elle est habillée, cette chienne ! La moindre de ses fringues vaut plus que mon costume tout entier. Et elle réclame la gratuité des transports !

Vladimir Lorinkov, qui avait vingt-six ans, se considérait comme un socialiste et compatissait avec les étudiants.

Aussi se détourna-t-il et ralluma-t-il son téléphone portable.

— Lundi matin, des jeunes gens se sont rassemblés en masse devant la mairie de Chisinau... La foule a exprimé son mécontentement, exigeant que les transports en commun soient de nouveau subventionnés. Devant le silence obstiné des autorités, les étudiants ont commencé à ramasser pierres et pavés du trottoir et à les lancer en direction des fenêtres de la mairie. Cherchant à disperser la manifestation, les policiers ont fait usage de leurs matraques contre les étudiants... Tu as noté ?

Les policiers avaient rattrapé les jeunes gens. Ceux-ci s'assirent aussitôt par terre et, le visage enfoui dans leurs genoux, se protégèrent la nuque de leurs mains. Les policiers commencèrent à les rouer de coups de pied. La fille dont le pantalon rose coûtait plus que le costume du journaliste des *Temps nouveaux* s'approcha d'eux par un côté.

— Trois policiers ont été blessés et évacués à l'hôpital, près de soixante-dix personnes ont déjà été arrêtées pour trouble à l'ordre public ... Je ne vais pas trop vite ? continua Lorinkov, avant de raccrocher.

La fille traversa la route – Lorinkov et Petrescu suivaient chacun de ses déplacements – et voulut pousser l'un des policiers occupés à passer les gars à tabac. Faisant volte-face, celui-ci lui plaqua sans méchanceté une paume sur le visage et la repoussa sans rien dire sur le côté. Lorinkov se précipita vers eux, attrapa la fille par le bras et l'entraîna derrière le cordon en agitant sa carte professionnelle. Dès qu'elle eut jeté un coup d'œil à cette attestation affichant « PRESSE » en grosses lettres, la fille envoya un coup de genou dans l'entrejambe de Lorinkov et se dégagea. Une colonne des forces spéciales quittait son abri derrière la statue d'Étienne pour prendre possession de la place. C'était là, désormais, que se déroulaient les événements intéressants ; personne ne regardait plus du côté de Lorinkov et de la fille. Après s'en être donné à cœur joie dans le tabassage des manifestants qu'ils avaient capturés, les policiers les traînèrent vers leur véhicule. Lorinkov s'accroupit et sortit son téléphone qui sonnait pour terminer son article :

— Les protestataires ont pratiquement assiégé la Maison du Gouvernement sur la place du Grand-Rassemblement-National. Des appels à la libération des étudiants arrêtés ce matin sont venus s'adjoindre aux revendications concernant la gratuité des transports.

Après un coup d'œil en direction de la fille, Lorinkov ajouta :

— Les violences à l'encontre de la presse ne sont pas rares, tant du côté de la police que de celui des manifestants.

Petrescu les observait en souriant. Toujours debout, la fille regardait le journaliste accroupi. Avec ses cheveux courts à la garçonne, ses oreilles rougies sous les rayons du soleil – on les aurait presque crues transparentes – et ses petits cils courts qui laissaient ses yeux sans défense, elle paraissait vulnérable de la tête aux pieds.

Vladimir Lorinkov en serait même venu à la prendre en pitié si elle n'avait choisi ce moment-là pour lui cracher au visage.

12

Quand la fille cracha au visage de Lorinkov pour la quatrième fois, le journaliste n'y tint plus et la repoussa loin de lui.

— Ça suffit. (Petrescu agrippa la fille par le coude et l'entraîna vers les portes de la banque.) Ce n'est qu'un petit journaliste et en plus, il a de la sympathie pour votre cause.

— Ah bon? Parce qu'on les voit pas trop, ceux qui ont de la sympathie pour notre cause, rétorqua-t-elle avec fureur.

— C'est vrai que moi, en tout cas, j'ai pas la moindre sympathie pour vous, ricana le lieutenant. Vous agissez comme des imbéciles. En vertu de toutes les règles de l'art militaire, se hâta-t-il d'expliquer, les manifestants doivent protéger leurs flancs, au lieu de s'attrouper aux points de passage. La police a juste besoin de vous contourner, de prendre la foule en tenaille et c'est fini. L'affaire est dans le sac.

— Vous êtes militaire? demanda-t-elle en allumant une cigarette.

— Non, policier. Mais je ne suis pas en service aujourd'hui.

Contre toute attente, sa réponse ne lui valut pas de cra-
chat. Elle se contenta de lui envoyer un coup de genou
dans les parties. *C'est sa spécialité, visiblement,* songea
Petrescu en se courbant pour l'empoigner par le bras.
Les camions transportant les canons à eau débouchèrent
soudain de l'autre côté de la rue. La foule courroucée se
mit à vociférer. La fille écarquilla les yeux. *Verts,* constata
machinalement le policier plein d'avenir. Il l'examina d'un
air pensif, observa ses cheveux, traça une ligne imaginaire
depuis le sommet de son crâne jusqu'à son épaule, soupesa
quelque chose :

— Vous êtes russe ?

Elle se retourna avec une telle fureur que Petrescu en
fut même effrayé.

— Non, non, vous m'avez mal compris. Je m'en moque,
au final. Je voulais dire, enfin, vous êtes slave ?

— Oui. Quelle différence ?

— Aucune. Vous vous appelez Natalya ?

— On se connaît ?

Cette fois-ci, son brusque mouvement de tête quand
elle se tourna vers lui ne l'effaroucha plus. Relâchant son
bras et portant deux doigts à sa tempe, le lieutenant se
présenta :

— Poste restante numéro 1234/34-a.

13

Lorsqu'elle voulut recommencer pour la cinquième fois, il était à bout de force. Grommelant : « Tant pis, c'est pas grave », elle descendit entre ses jambes et le lieutenant eut l'impression qu'on l'ébouillantait. Il poussa un gémissement et lui demanda d'enfiler la robe : une tunique grise qui lui descendait jusqu'aux pieds, avec une capuche.

— Et rabats aussi la capuche.

Ainsi fit-elle. Au bout de cinq minutes environ, Petrescu jouit en l'imaginant dans la peau d'une moniale du xvie siècle, et lui dans celle du séducteur de cette vierge. Mais – ô prodige – elle n'avait pas pour autant posé la main sur son membre. Ni de près ni de loin. Une fois rhabillée, Natalya s'en fut dans la cuisine.

— Je dois te nourrir, commenta-t-elle avec un sourire carnassier. Il faut que tu reprennes des forces.

— Pour un homme qui s'est pris un coup de pied dans les parties, je trouve que je ne me débrouille pas si mal.

Dans la cuisine, elle lui parla de son dernier amant. Ils avaient passé deux années ensemble.

— Il ne me plaisait pas des masses, en fait. (Natalya jeta un rapide coup d'œil à son poignet.) Mais tu ne peux même pas te figurer ce que ça signifie de rentrer chez soi, d'ouvrir le frigo et de constater qu'il est vide. Surtout qu'avant même de l'ouvrir, tu savais déjà ce que tu y trouverais.

Petrescu hocha la tête, quoiqu'il se figurât parfaitement ce qu'était un réfrigérateur vide.

— En fait, j'avais besoin de lui pour exister physiquement.

Elle avait allumé une cigarette après avoir débarrassé la table de l'énorme assiette de salade (tomates et laitue) qui y trônait.

— Tiens donc?

— Ça te choque? s'esclaffa-t-elle, étonnée.

— Pas le moins du monde. C'est très raisonnable.

— Et puis, il y a encore autre chose. (Natalya sourit, avec une coquetterie intentionnelle.) Votre albumen masculin... On en a un besoin vital. Un besoin absolument vital qu'il s'infiltre en nous...

— Tu parles du sperme?

— Et de quoi d'autre, mon chéri? gloussa-t-elle.

Petrescu se convainquit alors qu'elle était un catalyseur. Il semblait qu'on appelait ainsi l'élément utilisé en chimie pour distinguer les différentes substances entrant dans une combinaison complexe. En sa présence, que tu le veuilles ou non, tu apparaîtras tel que tu es. Ou bien tu manifesteras ton essence. *Face à cette femme, la stupidité, l'emphase et l'infatuation masculines sont particulièrement visibles*, se convainquit Petrescu.

Les hommes se considèrent comme le centre de l'univers; elle-même pensait être une partie de cet univers.

— Quand il a fini par piger que j'étais avec lui uniquement pour assurer ma subsistance, il a marqué une petite pause tragique, puis il m'a balancé : « Chérie, j'ai compris, tu ne fais que me supporter »…

— Et toi, tu lui as répondu quoi ?

— « Chéri, je lui ai fait. Tu as enfin compris, et pour la peine, je vais t'expliquer pourquoi je te supporte. Tu es mon porte-monnaie. »

Natalya éclata de rire à nouveau et ouvrit le réfrigérateur en grand pour mimer la scène vieille d'un an. Il ne devait pas se sentir bien choyé, son dernier amant. Dès qu'elle avait obtenu un travail, sa période de déveine derrière elle, Natalya l'avait plaqué. Mais ce fut bien après la conversation dont elle venait de faire état. Petrescu posa les pieds sur la table, elle s'en fichait.

— Tu l'attirais tellement qu'il a tout accepté, même quand tu lui as ouvert les yeux ?

— Chéri, c'était un petit mec. Un petit mec. Il a juste chassé tout ça de son esprit, comme le font les petits mecs avec les choses qui leur déplaisent. Et sans doute qu'il s'est inventé une explication probante. Pour se convaincre de ce qui n'existait pas.

— Ce n'est pas ton genre, à toi.

— Non, évidemment. (Natalya secoua la tête, dissipant ainsi les volutes de fumée autour de son visage, et elle lui adressa un clin d'œil.) Mais tu as déjà dû t'en rendre compte.

— Ton genre, pérora Petrescu, c'est d'appeler les choses par leur nom.

Natalya acquiesça, écrasa sa cigarette et s'étira. Puis elle se leva : un T-shirt sur ses épaules étroites, le ventre à l'air, un vieux jean.

— Baise-moi.

Petrescu décida qu'il avait devant lui une déesse grecque, atterrie par hasard au XXIe siècle. Mantissa. Au premier abord, le lieutenant s'était figuré qu'elle était issue d'un bon milieu. Une de ces bourgeoises échappées à la tutelle parentale et qui devenaient dingues quand une liberté aussi inattendue leur tombait dessus. Vous auriez fait de même après avoir attendu entre dix-huit et vingt ans pour gagner votre liberté. En réalité, elle était bien plus éloignée de la bourgeoisie que Petrescu ne l'était. Bien sûr, elle était aussi jeune que lui, avait lu et apprécié Limonov et Bukowski, lesquels, à dire vrai, lui avaient plu à lui aussi, mais cela ne partait pas chez elle d'une démarche protestataire. Elle pouvait se moquer de tout, tandis que lui, non. Elle se révéla bien plus sensuelle et décomplexée que lui.

14

— Bonjour, Vladimir.

Le major Édouard, collaborateur du Service d'information et de sécurité de Moldavie, entra dans le bureau et balaya la pièce du regard, sans ôter ses lunettes noires. Le cabinet de travail de Vladimir était un minuscule réduit enfumé, de deux mètres sur deux. Jadis blancs, les rideaux avaient noirci, et le tracé d'un visage s'esquissait sur leur fond crasseux. Édouard fut même obligé de soulever ses lunettes pour s'en convaincre : il y avait bel et bien une silhouette, ce n'était pas une illusion d'optique. Un ficus se desséchait sur le rebord de la fenêtre, éparpillant partout ses feuilles jaunies avec l'acharnement d'un mourant. Une vieille machine à écrire – une Yatran, nota automatiquement Édouard – faisait entendre un cliquetis nerveux, et bien que Vladimir eût cessé de taper, le chariot continuait de voler vers la gauche. Le ruban de la machine était usé. Deux tables, trois chaises, dont l'une accueillait Lorinkov qui se balançait dessus. Édouard souleva son imperméable d'un air dégoûté et demanda :

— C'est quoi, ces rideaux que vous avez ? Ceux avec des portraits…

— Ce ne sont pas des portraits, s'esclaffa Lorinkov. Et pas des rideaux non plus. Ce sont des linceuls qu'un drôle de type nous a fourgués, il y a quelques années de ça. Il avait acheté des tas de linceuls, voyez-vous, parce que monsieur imaginait se lancer dans leur commerce. Mais ça n'a pas marché. Alors les gars et moi, on lui en a pris deux, et on les a suspendus en guise de rideaux. Le portrait que vous avez cru voir, c'est le visage du Christ qui avait été peint dessus. Le vendeur avait lavé sa marchandise, naturellement, mais l'esquisse générale est restée. Quand il fait sombre et que le lampadaire de la rue est allumé, le visage ressort très nettement, c'est moi qui vous le dis.

— Ça doit être plutôt flippant, les soirées, chez vous, constata Édouard en frissonnant.

— Et le matin, c'est pas mieux, convint joyeusement Vladimir, qui décapsula crânement une bouteille de bière contre le rebord de son bureau (Édouard comprit alors pourquoi ce rebord était si dentelé). Il m'est arrivé de passer une nuit ici et d'utiliser ce rideau, pardon, ce linceul, comme couverture. J'ai dormi sur le bureau, les mains sur la poitrine. Et en entrant le lendemain matin, la femme de ménage a fait un malaise.

— Sympa, lâcha Édouard dont le sourire torve fit écho au hennissement sonore de Vladimir.

— Et comment donc! acquiesça placidement ce dernier. Une petite bière?

— Non. Je préfère le bon vin, voyez-vous.

— Qu'est-ce que vous racontez? (Les yeux de Vladimir étincelèrent.) Vous n'êtes pas d'ici, comment vous vous y connaîtriez en vin?

— Eh bien justement, si, s'offusqua Édouard, je suis « d'ici », comme vous avez jugé bon de le formuler.

— En tout cas, votre prénom sonne plutôt bizarrement, répliqua Lorinkov en plissant les yeux d'un air suspicieux. Pas moldave, à l'évidence.

— Apprenez, se rengorgea le petit major de la Sécurité d'État, que les rois anglais se sont souvent appelés Édouard.

— Veuillez prendre un siège, Votre Majesté !

Tout content de lui, Lorinkov hennit de plus belle, tandis qu'Édouard, la mine dégoûtée, essuyait une chaise de son mouchoir avant de se résoudre à y poser son postérieur. Il se tenait le dos très droit, à la différence du journaliste complètement avachi. Ce genre de relâchement ne pouvait laisser le pédant Édouard indifférent.

— Vous finirez par développer une scoliose, si vous vous tenez toujours comme ça, annonça-t-il à Lorinkov.

— Une scoli… quoi ? s'étonna Vladimir, qui se voûta encore plus que de coutume.

— Une scoliose. Une déviation de la colonne vertébrale, expliqua patiemment Édouard.

— Le principal, répliqua Vladimir en posant des yeux rougis sur son interlocuteur, c'est que l'âme soit droite.

— Pour autant que je sache, riposta Édouard avec un petit sourire, vous ne pouvez guère vous prévaloir de cette qualité.

— Et vous non plus, contra Vladimir avant de demander d'un ton rogue : pourquoi vous êtes venu ?

Édouard toussa et voulut prendre son mouchoir dans sa poche pour le porter à ses lèvres, quand il se rappela qu'il venait d'essuyer sa chaise avec. *Il faudra s'en passer*, se dit-il en ricanant.

— À en juger par ce préambule, reprit Vladimir d'un air intrigué, vous avez quelque chose d'intéressant à me proposer...

— Plus qu'intéressant, acquiesça Édouard, secoué par une nouvelle quinte de toux. Donnez-moi de l'eau.

— Y a pas d'eau ici. Prenez plutôt une gorgée de bière.

— Merci, mais je ne bois pas au déjeuner, mentit Édouard. Bref, voici l'affaire : comme vous le savez, si l'on considère la lutte ardue que mène la communauté mondiale contre le terrorisme international, la situation actuelle est de la plus grande complexité.

— Doux Jésus, commenta Lorinkov en se tournant vers le visage à peine perceptible qui ornait son rideau, tu entends ce qu'il vient de raconter ?

Et le journaliste d'éclater de rire.

— Arrêtez de faire l'imbécile, l'interrompit Édouard d'un ton las. Nous avons besoin de vous. En tant que patriote, en tant qu'homme aimant son pays et prêt à prendre certains risques pour la prospérité de sa patrie.

— Combien ? s'enquit Lorinkov en se penchant avide-ment en avant.

— Nous savions en effet que l'aspect matériel des choses vous intéresserait au premier chef, constata Édouard avec une légère grimace. L'homme est un loup pour l'homme, comme on dit. Moi d'abord, et le pays ensuite. Même si Kennedy a déclaré...

— Il y a fort peu de chances que Kennedy ait été en mesure de m'expliquer pourquoi je devrais travailler en échange d'une misère pour les services secrets en déclin d'une république bananière, pardon maïssière, elle-même en déclin ! (Lorinkov avait interrompu le tchékiste avec une rage inattendue.) Et il n'aurait pas su davantage m'apprendre pourquoi je ne devrais recevoir qu'une misère, quand à la rubrique « Dépenses pour agent » des documents comptables, vous faites figurer des sommes astronomiques que vous vous empressez d'empocher !

— Je vous en prie, ne nous disputons pas, protesta Édouard en levant les mains. Nous sommes des patriotes, vous et moi.

— Et vous, mon amusant tchékiste, répondit Lorinkov qui ouvrait une nouvelle bouteille, que pensez-vous de l'agitation estudiantine ?

— Ça n'a rien de politique. Les gosses ont envie de se révolter parce que le prix des transports va doubler, grand bien leur fasse. C'est la police qui gère. Pourquoi cette question ?

— Oh comme ça, pour rien. Une manifestante m'a envoyé un coup de genou dans les parties, tout à l'heure. Alors que je les défends de mon mieux dans mes articles !

— Je compatis. Mais j'en viens au fait : nous disposons de données selon lesquelles notre république sera impliquée sous peu dans la croisade mondiale contre le terrorisme. Peut-être même indépendamment de notre volonté.

— Je vois. Vous êtes à la recherche de financements ?

— Ne soyez pas cynique !

— Pardon, pardon, capitula Lorinkov. Bon, alors, c'est quoi la suite ? En quoi je peux vous aider ?

— Ces temps-ci, chaque citoyen doté d'une conscience peut et doit nous aider, répondit Édouard, martelant une phrase piochée dans un tract à destination de la population. Certes, il n'y a pas d'Al-Qaïda en Moldavie, mais qui peut affirmer que ces terroristes ne surgiront jamais ici? Nous sommes obligés de lutter contre. Bien entendu, nous ne disposons d'aucun moyen à cet effet, mais je suis certain que nos partenaires occidentaux nous aideront.

— Pas mal. (Lorinkov émit un petit sifflement.) Donc, si je comprends bien, cette fois-ci, les services secrets ne cherchent pas juste à effrayer le gouvernement, afin que celui-ci prenne peur et allonge la monnaie...

— Tout à fait exact, convint le major avec emphase.

— Cette fois-ci, poursuivit Lorinkov tout joyeux, les services secrets cherchent juste à effrayer la gouvernance de la communauté internationale afin qu'elle prenne peur et allonge la monnaie.

— Vous êtes impossible, protesta le major dont le visage se crispa face au rire sonore de Vladimir. Alors, c'est oui ou c'est non?

— Mon ami, ne prêtez pas attention au cynisme de façade d'un journaliste, répondit Lorinkov, redevenu sérieux. Bien sûr que je suis prêt à coopérer. Seulement, j'aurais une question d'ordre professionnel.

— Évidemment, convint Édouard avec joie. Je n'avais pas pris votre attitude bravache pour argent comptant. Posez votre question, cela va de soi.

Lorinkov sourit.

— Combien?

15

— Faites donc venir le mouchard ! ordonna Constantin
en se laissant aller contre le dossier de sa chaise.

Tout en jouant avec les menottes, Tanase se rappela
qu'on était jeudi, aujourd'hui, et que ce jour sortait de
l'ordinaire. De fait, du temps du NKVD de la République
socialiste soviétique de Moldavie, le jeudi jouissait de
deux particularités : des boulettes de poisson au déjeuner, et l'obligation, pour chaque collaborateur à la sécurité
d'État, de procéder à l'interrogatoire d'un prévenu ou
d'une balance. En outre, le jeudi, indépendamment de
leur rang – du chef de service à la femme de ménage en
passant par le dernier arrivé des stagiaires –, tout le per-
sonnel œuvrant pour la sécurité de la Moldavie soviétique
conversait avec les malheureux détenus en manipulant
une paire de menottes (d'où le geste longuement éprouvé
de Constantin). Ce qui plaisait tout particulièrement aux
tchékistes, c'était d'interroger les mouchards qu'il n'était
en réalité pas nécessaire d'interroger. En général, on discu-
tait avec les mouchards. Mais pas le jeudi. Le jeudi, on les
interrogeait. Quand Tanase devint directeur du SIS, il fit
renaître cette saine tradition.

— Lequel ? s'enquit le major Édouard, en passant la tête dans l'entrebâillement de la porte de son chef.

— Entre, voyons, lança Tanase avec un étonnement guilleret. Pourquoi, on a plus d'un cafard par personne aujourd'hui ?

— Tout à fait. Vous en avez deux qui attendent à l'accueil.

— Ensemble ? demanda Constantin en se renfrognant.

— Vous me faites offense, chef, répliqua Édouard en reniflant d'un air outré, alors qu'il avait le nez parfaitement dégagé. On a tout fait selon les instructions. Le mouchard journaliste a été placé dans la section secrétariat. Nous lui faisons visionner un film éducatif.

— Lequel ? Celui sur Auschwitz ?

— Pas celui-là, l'opérateur l'a égaré pendant une beuverie. Non, en ce moment, on lui passe *Cuisiner un suspect – niveau quatre*.

— C'est bien, approuva Constantin. Après ça, ils deviennent en général mous comme de la margarine Primevère d'or restée hors du frigo.

— Vous confondez, chef, rectifia prudemment Édouard. La margarine Primevère d'or n'existe pas. Il y a la marque Primerose, et un fromage qui s'appelle Mont d'or.

— Mais dans ce cas, comment s'appelle la margarine ? réfléchit Constantin.

— Je ne sais pas. Mais je peux vous garantir que demain sans faute, vous trouverez une note de synthèse à ce sujet sur votre bureau.

— Bien, répondit Tanase avec un sourire. Cela signifie que vous êtes un subordonné responsable et attentif. Quoique, non, ce n'est pas exactement ça. Cela me donne une raison de vous considérer comme un subordonné responsable et attentif, major.

— Je suis au service de l'Union… Pardon! Je suis au service de la Moldavie.

— Ce n'est pas grave, moi aussi, j'ai souvent la langue qui fourche. Pourtant, quatorze années se sont écoulées… À ce propos, le journaliste mouchard sait-il qu'il est un mouchard?

— Pas pour l'instant. Il s'imagine encore qu'il va collaborer avec nous moyennant rétribution, mais pas balancer, convint le major avec une pointe de dépit, avant de jeter un regard canin en direction de son chef. En fait, les gars doutent que vous soyez en mesure de le retourner.

— Comment ça? s'étonna Tanase, que la nouvelle irritait. Allons, avouez, c'est quoi, cette histoire de gars qui doutent?

— Vous voyez, chef, expliqua Édouard qui jugea préférable de jouer franc jeu après avoir été trop bavard, les gars prennent souvent des paris à votre sujet. Vous recrutez un informateur ou vous le recrutez pas? En général, je parie que oui. Et je gagne.

— Tant mieux. Mais, à ce propos, pourquoi vous sentez la vodka, comme ça? Vous n'avez pas encore gagné, que je sache, remarqua Tanase avec un sourire perfide. Oh, ça va, c'est bon. Restez calme. Il sera dit que je suis d'humeur clémente aujourd'hui. Mais faites un effort pour boire moins. Nous sommes des tchékistes, tout de même. Et le deuxième mouchard, qui est-ce?

— Eh bien, c'est un cafard tout ce qu'il y a de classique, répondit Édouard, ravi de ce changement de sujet. Une balance à l'état pur. Venue dans le but de balancer.

— Bof, d'ordinaire, ces mouchards-là ne racontent rien d'intéressant, raisonna Tanase. Juste deux, trois petites calomnies sur leurs voisins. Celui-là aussi, il est venu moucharder ses vis-à-vis ?

— À l'en croire, non. Pour en être certains, nous lui avons mis sous le nez les films de présentation *Il refusait de parler-2*. Puis, *Il détournait notre attention sur des broutilles-4*. Mais le mouchard n'a pas eu l'air impressionné. Il prétend détenir des informations sur une affaire de la plus haute importance. Et même quand, en guise de test, le capitaine Strymbianu de la huitième section lui a déboîté un doigt, il n'a pas fait machine arrière. Il exige de vous rencontrer, il n'en démord pas.

— Parfait. Il doit donc en valoir la peine. À ce propos, major...

— Oui, général, répondit Édouard en se rasseyant, après avoir été sur le point de partir.

— Combien vous avez misé sur moi ?

— Monsieur Tanase, je...

— Oh, cessez de vous justifier. Combien vous avez misé ? Et quelle est la cote ?

— J'ai parié que vous alliez tourner l'indic, reconnut le major, accablé. Cinquante lei. La cote pour le non-recrutement est de 1 contre 10. Et de 1 contre 5 pour le recrutement. Mais j'ai pensé qu'il valait mieux gagner un petit peu que de perdre beaucoup...

— Si je comprends bien, mes chances sont très élevées, commenta Tanase, si pensif qu'il en mit les menottes de côté.

— Hmm. Oui, chef.

— Parfait, ricana Tanase en sortant un billet de sa poche. Placez cent lei sur le fait que je ne recruterai pas le mouchard. Je ne le recrute pas, vous gagnez et vous me donnez les mille lei.

— Alors vous n'allez pas le recruter, vraiment ? s'enquit Édouard, au comble de l'admiration.

— Bien sûr que si. Seulement, ce sera notre secret, major. Un petit secret rien qu'entre vous et moi.

— Mais pourquoi ?

— Parce que vous garderez pour vous deux cents lei sur les mille que vous me donnerez.

— Au final, nous allons truquer les résultats du pari, monsieur le directeur, objecta ce balourd d'Édouard en battant ses petits cils.

— Non, Édouard, non. (Tanase garda le silence quelques instants et sourit.) Nous les corrigeons.

16

Après avoir raccompagné Sergiu vers la sortie, quand celui-ci eut fini de lui parler d'Oussama l'Afghan qui émincait des légumes dans un kiosque à chawarmas, Tanase resta quelques minutes à fixer son bureau d'un regard vide. Il comprenait que venait de lui échoir une chance qui n'avait rien de banal, une chance merveilleuse, et il comprenait aussi qu'il ne le comprendrait vraiment qu'un ou deux jours plus tard. À ce moment-là, il se réjouirait, par-dessus le marché. S'étant levé, le directeur du SIS se dirigea vers son armoire, à laquelle il avait accroché une petite icône de la Mère de Dieu, et quelques minutes durant, il la remercia avec ferveur pour ce succès. L'impossible venait de se produire. À en croire le mouchard – or Tanase lui faisait confiance, parce que Sergiu s'était révélé une balance classique –, l'un des dix terroristes les plus dangereux du monde se cachait à Chisinau ! Pour être plus exact, le terroriste qui occupait la première place du Top 10 des plus affreux terroristes au monde. Oussama ben Laden.

Tanase fouilla en toute hâte parmi les coupures de presse qu'il avait puisées dans un tiroir et étalées sur son bureau, afin d'y dénicher des informations concernant

Ben Laden. Les journaux. Le directeur du SIS, tout comme ses subordonnés d'ailleurs, ne disposait pas d'autre source d'information. Ce qui lui donnait une raison supplémentaire de rappeler à ses collaborateurs la nécessité de ménager la presse et la télévision. Ou plus exactement, leurs représentants.

Le contenu de ce dossier, Tanase l'avait copié sur la page Internet de *Preuve compromettante*, non sans avoir coupé le sous-titre annonçant que ces informations provenaient d'un rapport public du Mossad. Après quoi, il avait ordonné à sa secrétaire de saisir ces mêmes informations dans un document qu'il avait ensuite remis au président – son but étant d'entériner l'idée que l'obtention de ces renseignements résultait des liens privilégiés existant entre les services secrets moldaves et leurs homologues israéliens. Le président avait longuement loué Tanase avant de l'interroger, une note d'espoir dans la voix : Constantin ne disposerait-il pas de quelque information attestant la présence de terroristes internationaux en Moldavie ? Le terme du remboursement de la dette au FMI était alors bientôt échu, et l'argent que la lutte antiterroriste aurait pu rapporter à leur république oubliée de tous était plus que jamais nécessaire.

— Ne forcez pas trop le trait, cela dit, l'avait prévenu le président. Sans quoi ils voudront mener eux-mêmes la croisade contre le terrorisme, ils vont faire venir des troupes de l'OTAN et on sera tous rôtis à la flamme bleue.

— Je vous reçois cinq sur cinq, avait poliment déclaré Tanase au moment de prendre congé. Et je vous tiendrai au courant de l'avancement de notre travail.

Le moment semblait donc venu de mettre le président au parfum, d'autant que celui-ci commençait à manifester des signes d'impatience. Tanase commença la lecture du dossier :

« ... ont aidé Oussama ben Laden à créer le "bataillon arabe" en Afghanistan. Washington a consacré trois milliards de dollars à l'enrôlement de trente-cinq mille "soldats de fortune" venus de quarante pays, qui ont constitué les "forces multinationales musulmanes". L'Arabie saoudite est venue renflouer la cause de quelques centaines de millions de dollars supplémentaires. L'argent et les armes ont été dispatchés entre les moudjahidines. Grâce à Oussama, les Américains escomptaient prévenir l'expansion du communisme en direction du Sud... »

Étreint par l'envie, Tanase fit clapper sa langue. Trois milliards de dollars! Trois fois la dette souveraine de la Moldavie.

Et en plus, nous, on a mis quatorze ans à se faire verser cette somme, se tourmentait Constantin, *alors que cet Oussama, il a tout reçu en un mois! Et les Américains sont bien gentils... S'ils m'avaient donné trois milliards, j'aurais pas seulement arrêté l'expansion du communisme en direction du sud, mais également vers le nord et l'est.*

Il ne faisait pas le moindre doute que le président allait se montrer solidaire de Tanase. Même s'il se considérait communiste, trois milliards de dollars... Constantin s'humecta l'index, tourna la page et poursuivit :

« Portrait psychologique : possède du charisme et un goût raffiné, un esprit vif et pénétrant. Capable de rassembler autour de lui des gens aux antipodes les uns des autres. Pragmatique et calculateur. Prêt à se battre jusqu'au bout pour ses idées... Oussama ben Laden, quarante-quatre ans, dix-septième enfant d'une famille qui en compte par ailleurs cinquante-six. Sa famille vit à Djeddah (Arabie saoudite). Oussama a été élevé par des gouvernantes, et n'a fréquenté que des enfants issus de l'aristocratie, ce qui lui a valu le surnom de "Prince". »

— Prince... dans une famille de cinquante-sept enfants... marmonna Tanase, pensif, tout en décrochant son téléphone. Mettez-moi tout de suite en contact avec le service Filature. Allô ? Qui est à l'appareil ? Lieutenant-colonel Dabija ? Ici Constantin Tanase. Ça va, ça va. Lieutenant-colonel, écoutez, j'ai une mission importante à vous confier. Oui. Oui. Non. Oui. Seulement, pas question de la refiler à un major quelconque. Quoi ? Arrêtez ça, je sais comment vous travailler.

— Vous vous trompez, chef, protestait le lieutenant-colonel.

— C'est bon. On passe l'éponge. Voici l'affaire : demain matin, à neuf heures pétantes, heure moldave, vous quitterez le bâtiment du SIS. Vous vous arrangerez pour que toute la rue le remarque. Afin que chacun se dise : « Tiens, un collaborateur du SIS est de sortie. »

— J'enfile mon uniforme de parade ?

— Non, expliqua Tanase avec patience, ce serait superflu. Alors, vous sortez de l'immeuble et pendant ce temps, juste à ce moment-là, une voiture arrive à toutes blindes et freine brutalement, par exemple. Comment ça, pourquoi ? Non. Ce sera une de nos voitures. Et le chauffeur sera l'un des nôtres. Comment ça, pourquoi ? Pour attirer l'attention de la rue ! Qu'est-ce qui vous arrive, vous êtes bourrés, là-bas, ou quoi ?

— Ben oui. Enfin, non. C'est ma faute !

— Vous êtes saoul, constata Tanase avec tristesse. Mais écoutez-moi quand même, parce que si vous ne faites pas tout ce que je vous dis maintenant, c'est direct la retraite, sans pension. Donc, vous sortez, la voiture est passée. Sans y prêter la moindre attention, vous traversez la rue, et vous vous dirigez vers le kiosque à chawarmas. Oui, celui qui est en face de nos locaux.

— Je sais. J'en ai jamais acheté, mais je vois la baraque tous les jours.

— Il ne manquerait plus que ça ne soit pas le cas, vu que le kiosque ne bouge jamais de place, rétorqua Tanase, à qui la moutarde commençait à monter au nez. Donc, vous vous approchez, vous commandez un chawarma...

— Et je vous l'apporte pour votre petit déjeuner ?

— Imbécile ! Ce chawarma n'a aucune importance. Vous en ferez bien ce que vous voudrez. Mangez-le, jetez-le, offrez-le à un nécessiteux, peu importe.

— Je résume : le manger, le jeter ou l'offrir à un nécessiteux.

— Crétin ! siffla Tanase dont les dents se mirent à grincer. Je viens de te dire que peu importait.

— Pigé, chef.

— Mais attention, martela Tanase en écumant de rage, quand on vous tendra le chawarma, il sera primordial de le payer, et de dire au grand Afghan du kiosque, celui qui coupe les légumes...

— Je saurai le reconnaître ?

— Sans problème ! hurla Tanase. Lui, il est grand, alors que tous les autres sont petits !

— Que je suis bête !

— Il manquerait plus que vous soyez pas bête, crétin ! Écoutez la suite. Donc, vous tendrez l'argent et vous prononcerez les paroles que je vais vous indiquer, en regardant le grand Afghan droit dans les yeux.

— Je note.

— Vous lui direz : « Salut, Prince. Où se trouvent tes cinquante-six frères et sœurs ? » Et ce faisant, vous le fixez attentivement dans les yeux. Il est impératif de ne pas ciller. Vous devez l'hypnotiser du regard.

— C'est noté. Et ensuite ?

— S'il vous demande de préciser votre pensée, faites semblant de sortir d'une réflexion profonde, et priez-le de ne pas prêter attention à ce que vous venez de dire. Du genre, il vous arrive fréquemment de divaguer. Puis, vous traversez la rue et regagnez l'immeuble du SIS.

— Pourquoi ?

— Pour vous remettre au travail, imbécile !

— Pigé. A-a-ah, je peux vous poser une question ?

— Faites.

— En réalité, ils sont où, ses cinquante-six frères et sœurs ?

Ayant épuisé son chapelet d'injures, Tanase jetait les débris du téléphone qu'il avait anéanti dans sa fureur quand il entendit tout à coup que ça remuait du côté du secrétariat. Constantin se précipita et ramena vers son bureau un gros père courtaud, qui avait l'allure d'un collaborateur de la presse nationale radicale. Le directeur du SIS avait complètement oublié qu'il lui restait encore un interrogatoire à effectuer. Sa tête s'était comme vidée. Faute de parvenir à déterminer avec certitude qui était ce bonhomme et comment il était parvenu jusqu'à son cabinet, Tanase infligea un balayage au gros pépère, lui posa un pied sur la poitrine et hurla, en lui postillonnant au visage, la première chose qui lui vint à l'esprit :

— Si tu ne me donnes pas tout de suite le nom de l'homme qui t'a parlé de la planque terroriste, sale pute, tu signes ton arrêt de mort, chien que tu es !

Déglutissant avec peine, Vladimir Lorinkov, stupéfait – car, se fiant au major Édouard, il s'était présenté ici pour « rencontrer quelqu'un d'intéressant » –, lâcha le premier nom de famille qui lui vint à l'esprit :

— Petrescu...

17

— Deux chawarmas, mais sans concombres, s'il vous plaît, demanda Petrescu avant de tendre l'argent par le guichet. Parce que j'en ai pris une fois avec des concombres, et je sais pas pourquoi, mais ils avaient un goût de sang. Vous aviez égorgé quelqu'un ou quoi?

— Oui. Les concombres, justement, répliqua, faisant chorus au ton facétieux de Sergueï, le grand Arabe pensif qui tranchait précisément les concombres.

— Arrêtez, alors, s'esclaffa Petrescu, c'est pas humain!

— En fait, intervint le gros cuisinier basané qui découpait la viande, c'était votre propre sang. Vous vous êtes mordu la langue; mais avant ça, votre chawarma était délicieux.

— Sans doute, convint Petrescu, sincèrement convaincu. Parce que vous faites des chawarmas exquis. D'ailleurs, mettez-moi quand même des concombres.

— Tu vois, Saïd, chuchota Oussama à son binôme, quand le lieutenant, chargé de sa commande, se fut éloigné. Il arrive qu'ici aussi, des gens s'y connaissent en chawarmas.

Sergiu manifesta son approbation d'un gloussement et s'en fut chercher un deuxième plateau de légumes.

Petrescu s'assit dans le parc et ouvrit le premier sachet. C'était son petit déjeuner. Un bruit sourd montait de la place : les étudiants continuaient à manifester. Mais Sergueï ne s'en souciait guère. Il avait demandé à Natalya de ne pas se rendre là-bas : de toute façon, ces manifestations ne mèneraient à rien, avait-il avancé. En ce bas monde, tout augmentait toujours. Les prix avaient au demeurant commencé à augmenter le jour où les hommes avaient inventé l'argent. Et puis, la situation était dangereuse sur la place : si les manifestants ne vous jetaient pas de pierres, c'était un policier qui vous caressait à la matraque.

Soudain, Petrescu se sentit épié. Sans se retourner, le lieutenant sortit un petit miroir de sa poche (dans son travail, cet accessoire pouvait parfois se révéler utile) et tendit la main qui le tenait sur la droite. Dans le miroir se profila le reflet d'un homme de petite taille, affublé d'un manteau de cuir râpé, de lunettes noires surannées et de souliers jaunes, manifestement usés.

— Il ressemble trop à un espion, lâcha pensivement Petrescu qui, tenaillé par une faim féroce après une nuit sans sommeil, brutalisait son chawarma. Tellement que c'est à en devenir neuneu. Conclusion, c'est quelque pauvre malheureux qui sera tombé bien bas. Hé, toi, le clochard !

— C'est à moi que vous parlez ? répondit l'homme, qui s'approcha d'un pas timide.

Petrescu remarqua qu'il tenait un sac contenant des bouteilles vides.

— Oui, à toi. Tu as la dalle, à ce qu'on dirait ?

L'individu n'eut pas le temps de répondre que Petrescu se levait d'un bond, s'approchait et lui tendait l'un de ses sachets, qui répandait une agréable odeur de légumes frais et de viande rôtie.

— Tiens, voilà un chawarma. Prends-le et mange.

Un instant plus tard, l'homme au manteau râpé ne voyait plus que le dos de Serguëi s'éloignant à grands pas – car le lieutenant se détestait pour ce genre d'élans et concevait la plus grande gêne à écouter les remerciements qu'ils lui valaient.

Après réflexion, l'homme s'assit sur un banc et s'empressa d'ouvrir le sachet contenant le chawarma. Un coup d'œil lui suffit pour qu'il se décide à croquer dedans. Par deux fois, il manqua de s'étouffer, puis, dès qu'il eut terminé de petit-déjeuner, l'homme – le malchanceux lieutenant-chef Muntianu, agent du SIS, vingt ans d'ancienneté pour un salaire mensuel de cinq cents lei – s'en fut étancher sa soif à la fontaine. Il plaça longuement ses lèvres blanchies sous le jet d'eau – le chawarma avait été copieusement salé et poivré. Une fois désaltéré, Muntianu se dirigea vers les sapins qui poussaient derrière la cathédrale et s'allongea dessous pour piquer un roupillon. Son personnage de clochard l'y autorisait. Et pour le cas où des policiers s'approcheraient de lui, Muntianu avait sa carte de collaborateur du SIS. Bien entendu, il n'aurait pas dû s'approcher de Petrescu, qu'il était chargé de filer, et encore moins accepter la nourriture offerte par le lieutenant. Mais Muntianu avait dépensé tout son salaire en boisson moins d'une semaine après l'avoir reçu, et pas mangé depuis deux jours. Le lieutenant-chef du SIS savait qu'il avait saboté sa filature sans possibilité de retour en arrière. Tant pis, ce petit déjeuner en valait la peine.

Le même jour, Sergueï Petrescu croisa le lieutenant-chef Muntianu une deuxième fois, quand il retraversa le parc pour rentrer chez lui. Fourbu, Sergueï avançait sur le chemin sablonneux, deux canettes de bière à la main.

— Vous auriez pas une clope ? lui demanda tout à trac une tache sombre sur un banc.

— Je ne fume pas, répondit Petrescu, que la surprise avait fait tressaillir. Mais… C'est encore toi ?

— Et encore vous, répliqua Muntianu en le reconnaissant. (Il avait consciencieusement joué au clochard toute la journée.) Ben, donne-moi au moins une petite pièce, alors.

— Tu vas me mettre en faillite, soupira Petrescu qui tendit à regret une canette au clochard. Tiens, prends ça. Au moins, tu auras quelque chose à boire.

— Merci.

Muntianu ouvrit la canette et en avala plusieurs gorgées avides.

— Tu es un gaillard en bonne santé, lâcha Petrescu pour l'édification de son interlocuteur. (Des exercices de psychologie pratique, effectués à l'Académie de police, lui revenaient en mémoire.) Si tu allais travailler, tu pourrais boire de la bière tous les jours.

— Ça ne serait guère souhaitable, raisonna Muntianu en s'essuyant la bouche avec la manche de son manteau.

— Et pourquoi donc ? voulut savoir Sergueï.

— Y aurait matière à devenir un ivrogne, répliqua l'agent de la sécurité d'État, pénétré du plus grand sérieux.

— Logique, concéda Petrescu. Écoute, j'y vais. Bonne chance. Demain, si tu veux bien m'excuser, tu n'obtiendras rien de moi. Il n'est pas bon de développer en autrui une propension au parasitisme.

— Quel... moraliste vous faites, vraiment...

Petrescu s'en fut en rigolant à la pensée de la dernière réplique du mendiant. Muntianu secoua la canette et courut téléphoner à son chef, afin de lui faire le compte-rendu de sa filature du jour. Bien entendu, il avait l'intention d'inventer la majeure partie de son rapport. Ayant obtenu, après de longues tractations, une carte de téléphone gratuite auprès d'une vendeuse à la sauvette, le lieutenant-chef de la sécurité d'État composa le numéro voulu.

— Allô, monsieur le major?

— Bon sang, ducon, t'es encore saoul? siffla le major Édouard à l'autre bout du fil. T'as oublié ce qu'on avait convenu?

— Pardon, se ravisa Muntianu. Je suis bien à la clinique vétérinaire?

— Elle-même, se radoucit le major. Quel est l'objet de votre appel?

— Il se trouve... répondit Muntianu, qui commençait péniblement à se souvenir du code secret, ... que j'ai un animal malade... un-un-un...

— Un petit chien, lui souffla le major avec hargne.

— Oui, c'est ça, un petit chien. Ce matin, il s'est promené dans le parc près de la cathédrale et il a mangé un morceau de chawarma...

— C'est vraiment le genre de choses à éviter, l'interrompit Édouard, continuant de toute évidence à jouer le rôle convenu. Vous devez nourrir votre chien avec des aliments spécialisés. Pas vous contenter de lui donner les restes de vos repas.

— Ah, d'accord, admit Muntianu. (Il sentait sa tension grimper, ce qui, par voie de conséquence, lui donnait une furieuse envie de boire.) Et après le parc, mon chien s'est rendu sur son lieu de travail permanent. Il est resté dans sa niche jusqu'au soir, puis il est revenu se promener dans le même parc.

— Est-il entré en contact avec d'autres chiens ? s'enquit mollement le major.

— Négatif.

— Qu'est-ce que t'as à parler comme au champ de manœuvre ?

Muntianu devinait un regain d'agacement chez son chef.

— Enfin, je voulais dire, non. Non, il n'est pas entré en contact avec qui que ce soit. C'est qu'il n'est pas très sociable, mon petit chien.

— Bien. Laissez-nous votre numéro, un de nos vétérinaires va passer chez vous.

Muntianu lui dicta le premier numéro qui lui vint à l'esprit et raccrocha. Il avait envie de vomir. La soif en premier lieu, mais aussi sa conversation avec le major le mettaient mal à l'aise. *On fait mumuse comme des gamins*, songea Muntianu, qui regretta de ne pas avoir émigré en Russie. *C'est moi qui aurais empoisonné Khattab[1], et j'aurais reçu une décoration*, se dit encore le lieutenant-chef avec amertume. *Ça, c'est du boulot...*

Au standard téléphonique, une jeune femme aux traits

---

1   Ibn al-Khattab est un chef de guerre connu pour les opérations militaires qu'il a menées en Tchétchénie contre les forces russes. Il aurait été tué en 2002 par une lettre empoisonnée. (N.d.T.)

tirés par vingt-quatre heures de travail raccrocha le combiné en éclatant de rire.

— Les filles! lança-t-elle en se tournant vers ses collègues. Rue Pouchkine, les tchékistes se sont remis à parler en langage codé.

18

Le vacarme des Klaxons tira Muntianu du sommeil. Levant la tête de l'herbe, le lieutenant-chef examina la place de la cathédrale avec la plus grande attention, puis enfouit de nouveau le visage dans ses bras et resta ainsi quelques minutes supplémentaires. Le tchékiste reprenait ses esprits. Il avait dormi entre deux sapins, sous le couvert de son manteau et d'une autre guenille récupérée dans un local à poubelles situé non loin de là. Durant la nuit, quelques chiens errants avaient couru vers lui, mais ils ne l'avaient pas touché, le prenant manifestement pour l'un des leurs. Au bout de quelque temps, Muntianu finit par se lever et se dirigea vers la fontaine, où il procéda à ses ablutions matinales.

— Arrête-toi. Viens ici, l'appela nonchalamment un policier appartenant à la patrouille qui flânait dans le parc.

Muntianu sortit sa carte avec une nonchalance identique, l'ouvrit et la tendit du côté de la patrouille sans se priver par la même occasion de soulager sa vessie. Le sergent blêmissant fit en sorte de s'approcher assez près pour pouvoir examiner l'attestation, mais pas trop, afin d'échapper au jet de Muntianu. Ayant finalement déchiffré les mentions portées sur la carte, il se mit au garde-à-vous puis se carapata, la mine outragée. Sa petite affaire terminée, le tchékiste se lava dans la fontaine puis s'assit sur les marches de la cathédrale. Ses mains tremblaient. Mais peu à peu, s'étant réchauffé au soleil, le lieutenant-chef se remit à somnoler.

— Hé, mon cher monsieur, pourquoi est-ce que tu te vautres comme Cléopâtre sur les genoux du cheval qui portait Alexandre de Macédoine ?

Ces paroles, lancées par un homme qui courait comme un beau diable au-devant de lui, réveillèrent Muntianu.

— Lève-toi, lève-toi tout de suite ! continuait l'autre.

— Les chevaux ont des genoux ? s'enquit Muntianu, fort étonné.

— Peu importe si c'est lui, toi ou son cheval qui en avez, répliqua le petit gros, la poitrine barrée d'un large ruban blanc en diagonale. Dans une heure, on célèbre ici le mariage de ma filleule avec son fiancé.

— Il aurait été étonnant qu'on célèbre le mariage de ta filleule avec un autre que son fiancé, répliqua perfidement Muntianu, qui taxa une cigarette au petit pépère.

— Tu as la langue bien aiguisée, à ce que je vois, constata le parrain de la fiancée en faisant claquer sa langue. En tout cas, moi, ça ne m'enchante pas des masses qu'un clochard se prélasse aux pieds des mariés, surtout s'il fait le malin.

— Traitez-moi comme Alexandre traita Diogène, lui conseilla Muntianu avec une sagesse toute philosophique.

Et il tourna le dos à l'homme-tonneau. La situation commençait à l'amuser. Il escamota la cigarette qu'il venait de se faire offrir dans une manche de son manteau.

— Écoute, je ne sais pas comment on se conduit avec ce Diogène dans votre village, reprit le gaillard ventripotent, mais chez nous, même quand on ne connaît pas les gens, on les traite avec des égards. Nous sommes des êtres humains, de bonnes personnes. Et nous sommes tous des Moldaves, alors pourquoi serions-nous des loups les uns pour les autres ?

— Parce que c'est comme ça, marmonna Muntianu en s'installant plus confortablement sur les marches. *Homo homini lupus est.*

— Il me semblait pourtant que je ne t'avais pas insulté, protesta l'homme à bedaine, en devenant tout à coup sérieux.

— Mais moi non plus, mon cher monsieur, répliqua Muntianu, les yeux clos. Je t'ai juste énoncé un proverbe en latin. Tu es pourtant censé le comprendre, vu que nous, Moldaves, peuple affable, sommes les descendants des Romains.

— Hmm... (Le gros parrain s'était mis à réfléchir.) À ce que je vois, tu en fais partie.

— De quoi ?

Muntianu plissa les yeux sous le soleil.

— Des gens éduqués, lâcha le ventripotent avec une hostilité inattendue que vint bientôt remplacer un large sourire obséquieux. J'ai une affaire à te proposer, monsieur l'éduqué.

— Accouche.

— Est-ce que tu serais capable de m'aider pendant le mariage ? Je saurai te remercier.

— Comment t'aider et comment me remercierais-tu ?

— Eh bien, tu m'aiderais en faisant office de renfort. Tu vas par ici, tu apportes ce machin, tu remportes ce truc, tu amuses la galerie. Et pour ce qui est de ma gratification...

Bah, quelle gratification peux-tu souhaiter quand tu vas participer à une noce ! Nous autres, Moldaves, nous sommes un peuple affable. On va manger, boire et faire la fête jusqu'au petit matin.

— Manger, tu dis, et boire et faire la fête... répéta Muntianu, pensif, tout en observant les hochements de tête approbateurs du gros bonhomme. Et en même temps, je devrais tantôt apporter, tantôt remporter...

— Tu as beau être clochard, tu es sacrément susceptible ! s'exclama le parrain en fronçant les sourcils. Les gars dans ton genre, ils me suivraient en rampant pour avoir seulement le droit de festoyer à une noce.

— Je suis mal habillé.

— C'est pas grave. Peu importe, personne ne dira rien. Car nous autres...

— Je sais, je sais. Nous autres, Moldaves, sommes un peuple affable.

— Bon alors, c'est d'accord ?

— On dirait bien que oui.

— Dans ce cas, debout. (Le petit tonneau arborait tout à coup une mine sévère.) Et file dans l'église chercher les tapis. Allez, plus vite que ça ! Remue-toi.

— Dis donc, ce que t'as changé, gloussa Muntianu. T'es devenu bien leste.

— Et comment donc ! se rengorgea le gros père. Je suis ton employeur désormais.

— Va te faire voir, rétorqua Muntianu sans agressivité, avant de s'étendre de nouveau sur les marches.

Au loin apparut le lieutenant Petrescu, qui se rendait à son travail. Après l'avoir amicalement salué, Muntianu posa la tête sur son bras et, sans plus prêter attention aux jurons du petit gros, se prépara à replonger dans le sommeil.

— Ah, saleté de bourrin ! s'insurgea le gros en retroussant ses manches pour corroborer son air menaçant. Tu vas passer un sale quart d'heure.

— Je crains que tu n'arrives à rien, répondit Muntianu sans ouvrir l'œil.

— Oh que si ! Et quand j'en aurai fini avec toi, j'appellerai la police, par-dessus le marché.

— Je t'en prie, répliqua Muntianu sans s'émouvoir.

Le gros lard vit dans cette attitude matière à réflexion. Si un mendiant se montrait aussi tranquille et sûr de lui, c'était que l'affaire sentait mauvais. Il ne pouvait s'imaginer qu'un homme puisse être tranquille et sûr de lui pour la simple raison qu'il était tranquille et sûr de lui. Si un homme se comportait de cette façon, cela signifiait que l'affaire sentait mauvais. Une fois la question résolue par-devers lui, l'organisateur du mariage courut lui-même chercher les tapis dans l'église.

— Tu aurais mieux fait de te lever quand même, dit à Muntianu un homme tout maigre, vêtu d'un survêtement déchiré. Parce que s'ils piquent une crise, ils vont aller se marier dans une autre église, et nous, on n'aura que dalle.

— Vous ? demanda Muntianu. C'est qui, vous ?

— Nous, les gens.

Muntianu s'assit et regarda autour de lui. Sur le parvis de la cathédrale, les clochards proliféraient en effet. Quelque chose comme sept individus.

— Ah bon ? Mais ils vous donnent beaucoup ? s'enquit-il en se frottant les yeux.

— De l'argent, non, mais de la nourriture, des tonnes. C'est là-dessus qu'on vit, expliqua le mendiant, qui dévisagea Muntianu avec curiosité avant de lui demander : T'es qui, toi ? Et d'où tu viens ?

— En fait, commença Muntianu, soudain résolu à la franchise, je suis lieutenant-chef au Service d'information et de sécurité.

— Qu'est-ce que c'est encore que ce truc ?

— Eh ben, le successeur du KGB.

— Attends, s'étonna le mendiant. Le KGB n'existe plus ?

— Mais tu viens de quelle planète ? fit Muntianu, estomaqué. Le KGB a disparu depuis quatorze ans.

— Qu'est-ce que tu entends par « disparu » ? insista cet obtus de clochard. Alors, qui donc fait régner l'ordre dans le pays, à présent ?

— Le SIS, justement.

— Et pourquoi le KGB n'existe plus ?

— Vu que le pays n'existe plus, le KGB a disparu.

— Comment ça, « le pays n'existe plus » ? s'esclaffa le clochard, qui comprit soudain : Ah, tu te fous de moi, cher monsieur. Comment le pays n'existerait plus, si tu es là, je suis là, la ville est là ? Tout est resté comme c'était avant.

— Eh ben toi, t'es sacrément ignorant ! s'exclama Muntianu. T'as vraiment jamais entendu dire que l'URSS s'était effondrée ? Ça s'est passé y a quatorze ans !

— Comment ça, « effondrée » ?

— T'as rien soupçonné avec l'apparition de la nouvelle monnaie ?

— Comment j'aurais pu savoir ? fit le mendiant tout

agité. Des sous, c'est des sous. Je pensais qu'on les avait juste changés.

— Et les drapeaux ? s'enquit ironiquement Muntianu.

Eux aussi, on les a « juste changés » ?

— Je regarde pas les drapeaux. Ils sont sur les murs en général, et on trouve jamais de bouteilles vides ou de sacs de nourriture là-haut.

— Mais dans le ciel, tu y regardes de temps en temps ? demanda Muntianu d'une voix pathétique.

Cependant, le lieutenant-chef fut bien obligé de reconnaître – ne serait-ce qu'*in petto* – que la situation était absurde. Lui-même personnage en voie de clochardisation, ivrogne qui se laissait aller, il se moquait d'un malheureux... Muntianu fut soudain sur le point de verser une larme, ce qui témoignait sans conteste de la progression catastrophiquement rapide de son alcoolisme.

— Tu sais... Comment tu t'appelles ?

— Grigori.

— Tu sais, Grigori, il se peut que je t'aie pas dit toute la vérité.

— Ouais, c'est bien ce qu'il me semblait, admit Grigori. À mon avis, tu n'es pas lieutenant-chef de la sécurité d'État.

— Et je suis qui, alors ? s'étonna Muntianu.

— Selon moi, tu es sergent de la sécurité d'État, chuchota le mendiant.

— Non, Grigori, soupira Muntianu en signe de repentance, je suis bel et bien lieutenant-chef de la sécurité d'État, mais devenu entre-temps un ivrogne invétéré ayant abandonné tout espoir de parvenir à quoi que ce soit en ce bas monde.

— Tu parles d'une affaire, le réconforta Grigori. Qu'est-ce que tu aurais voulu obtenir au bout du compte ? Un deux pièces dans un vieil immeuble, une voiture d'occasion et la possibilité de marier ta godiche de fille en cloque dans la cathédrale ? À ton avis, ça signifie qu'on a atteint son but dans la vie ?

— Dis donc, tu es un philosophe à ce que je vois, constata Muntianu, souriant à travers ses larmes.

— En somme, oui. J'ai même enseigné dans un institut, lui révéla Grigori avec orgueil. Mais j'en ai eu marre et je suis devenu une personnalité asociale.

— C'est difficile ? s'enquit Muntianu avec espoir.

— Pas du tout, répondit Grigori, par quoi il désappointa aussitôt son interlocuteur. C'est même très facile. Je pense que ça te plairait.

— Non, répondit Muntianu en baissant la tête, je ne peux pas. Du moins pas tant que je n'aurais pas effectué ma dernière mission. Je dois surveiller un lieutenant de police du nom de Petrescu.

— Et tu as très envie de le filer ?

— En fait, non. Il me paraît plutôt sympathique, cet homme, et je n'ai pas la force de me traîner derrière lui à travers toute la ville. Parce qu'il est jeune, le gaillard. Aujourd'hui, il est chez lui ; demain, en visite chez une fille, dans une heure, il ira se promener, ensuite travailler. Mais moi, j'ai de l'arthrite, et je suis alcoolique, selon toute vraisemblance.

— Tu sais, presque tous les tchékistes qui atterrissent dans nos rangs sont très dépendants à l'alcool, lui confia Grigori. Mais c'est rien. Nous t'aiderons à t'en sortir. Et nous allons nous charger de ton lieutenant.

En attendant, lève-toi de ces marches, on va aller aider nos gars à faire la manche à la noce.

Bras dessus, bras dessous, les nouveaux amis se dirigèrent vers l'enceinte de la cathédrale. Quand ils ne furent plus très loin des clochards, Grigori arrêta Muntianu et s'approcha de l'attroupement, un bras levé.

— Grande nouvelle! clama-t-il d'une voix émue.

Attirés par le comportement inhabituel de leur chef, les mendiants vinrent à sa rencontre. Dès que tous furent réunis, Grigori, soudain très ébranlé, se mit à parler comme le héros des *Contes d'Odessa*[1] :

— Braves gens, clochards! J'ai à vous annoncer une nouvelle qui va chambouler vos cœurs et toute votre vie.

Des voix s'élevèrent de la foule :

— Ils suppriment les bouteilles en verre?

— Ils vont enfin réparer la conduite de chauffage de l'aéroport?

— Les chiens ont la tuberculose et on peut plus les manger?

— La Marinka de la place du marché s'est choppé la chaude-pisse?

L'émoi des gars était manifeste. Grigori laissa passer une minute, puis leva de nouveau la main.

— Tout ce que vous venez de dire, c'est de la merde! déclara-t-il en crachant pour appuyer ses propos. Mendiants, j'ai à vous annoncer une véritable nouvelle. Mendiants, nous ne vivons pas du tout en Union soviétique.

---

1   Il s'agit d'un recueil de nouvelles de l'écrivain soviétique Isaac Babel. Au centre de ces récits se trouve un groupe de bandits vivant dans la Moldavanka, le ghetto juif d'Odessa, et dirigé par un certain Bénia Krik, surnommé le Roi. (N.d.T.)

Il se trouve que vous êtes des citoyens de Moldavie, un État indépendant et souverain !

Pendant quelques minutes, l'auditoire abasourdi garda le silence, puis l'un des hommes arracha le chapeau de paille féminin dont il était coiffé et hurla à pleins poumons :

— Hourrah !

19

— Allez, dis-le. Allez, s'il te plaît !

Sergueï, soufflant comme un cachalot, était allongé sur le canapé, une main sur le front de Natalya.

— Allez, dis-le !

— OK, consentit-il en souriant. Catin.

— Non, protesta-t-elle avec une moue capricieuse. Sois plus brutal. Tu es une catin. Vas-y.

— Tu es une catin.

— Petrescu, soupira-t-elle, tu n'y mets pas de sentiments ! C'est comme si tu me disais : « tu es en uniforme » ou « tu portes des escarpins à hauts talons ».

— Et alors ? objecta Petrescu, pensif. Tu es arrivée avec des escarpins à hauts talons, oui ou non ?

— Mon Dieu, gémit Natalya, tu baises bien, mais pour ce qui est d'y mettre les formes… Et puis, t'es long à la comprenette.

— Je suis comme je suis, se vexa le lieutenant.

— Alors voilà, expliqua-t-elle en s'arrachant à son étreinte, je suis effectivement venue en escarpins à hauts talons. On va se reposer un peu, je les renfilerai, toi, tu remettras ta pauvre tunique, et on baisera encore un coup.

— Je mettrai pas ma tunique, s'esclaffa le lieutenant.

J'aurais l'impression de me retrouver à un briefing chez mon chef.

— Oh, Petrescu...

— M'appelle pas par mon nom de famille, OK ?

— D'accord, lieutenant. Enlève ta jambe de moi. Elle m'écrase.

« Elle est comme elle est », faillit répondre Serguei, mais il se retint à temps. En discutant avec Natalya, il avait toujours l'impression de perdre. Pas du tout comme au lit, où elle se donnait avec science et sans arrière-pensée. Pour le lieutenant, qui considérait jusqu'alors le jour où l'une de ses amies avait enfilé des bas résille avant l'acte (« Tu piges pourquoi les trous sont espacés ? » avait-elle ronronné) comme le sommet de sa vie sexuelle en matière de dépravation, Natalya était une découverte tout simplement étourdissante.

— Tu es étrange, lui dit-il après leur première rencontre. Toutes les filles, en tant que filles, veulent se marier, mais pas toi.

— Et pour quoi faire ?

Elle se passait du rouge sur les lèvres, les jambes légèrement repliées afin d'apercevoir son visage dans le miroir accroché trop bas sur le mur.

— Je vais avec qui j'ai envie, ajouta-t-elle. Tôt ou tard, je trouverai un homme que j'aimerai.

— Pourquoi ne pas te contenter de l'attendre tranquillement ? voulut savoir Petrescu, soudain d'humeur moralisatrice.

— Ça ne fait pas la moindre différence, conclut-elle lorsqu'elle en eut fini avec ses lèvres et se fut attaquée à ses cils. Absolument pas la moindre, mon chéri.

Aux dires de Natalya, l'appartement où ils se rencontraient appartenait à sa tante. Petrescu n'avait jamais rencontré la vieille femme, mais il n'avait pas le courage de chercher à savoir si elle existait ou pas. Pour le moment, la situation telle qu'elle était convenait parfaitement au lieutenant.

— Tu sais qu'avec toi, je perds mes réflexes ? lâcha-t-il en se tournant vers elle.

— C'est-à-dire ?

Elle plissa les paupières et lui caressa les cheveux.

— Je ne me rappelle plus comment tu étais habillée, ni ton allure générale. Je ne mémorise pas les détails de ta tenue.

— C'est très important ?

— Pour un policier, oui, bien sûr.

— Et à quoi elle te sert, ta police ? demanda-t-elle avec indifférence.

— Tôt ou tard, je deviendrai ministre, répliqua Petrescu en se retournant sur le ventre. De là à devenir Premier ministre, il n'y a qu'un pas. Et de là à président…

— J'ai eu un amant, se souvint-elle, une huile. Un type de la police, si je me rappelle bien. Ou un militaire, je n'ai pas essayé d'en savoir plus.

— Ah ouais, répliqua Petrescu sans rien manifester, car il s'efforçait de ne pas se laisser envahir par la jalousie. Ah ouais…

— Je l'ai largué. Il était intéressant, mais seulement au début. Ensuite, il a tout gâché, il s'est mis à me traiter de maïs jeune, t'imagines ? Et il voulait que je devienne sa femme ou, du moins, sa maîtresse officielle. Mais moi, ça m'ennuyait. Alors je l'ai largué.

— Tu largues tout le monde, à ce que je vois.

Natalya bondit du lit et se jeta sur une chaise. L'instant d'après, coiffée de la casquette de Sergueï, elle était assise sur ses fesses, à lui donner des claques sur le dos en disant :

— Oui, monsieur le futur Ministre. Tout à fait, mon Premier. Permettez-moi de vous donner la fessée, mon Président. M'y autorisez-vous ?

Hilare, Sergueï se retourna et fit tomber la casquette de sa tête.

— Tu ressembles à une SS avec ça, se justifia-t-il.

Mais Natalya ne l'écoutait déjà plus.

— Dis-moi que je suis ta roulure.

Et elle descendit le long de son corps.

— Dis-moi que je suis ta roulure, répéta-t-il.

— Porc. (Natalya eut un petit rire, qui ne l'empêcha pas d'aller toujours plus bas.) Dommage que tu ne sois pas black. J'ai toujours rêvé de baiser avec un Black.

— T'es vraiment une roulure ! s'exclama Petrescu, animé cette fois de l'indignation la plus sincère. Espèce de catin !

Pour lui manifester sa reconnaissance, Natalya l'enveloppa de sa bouche sensuelle.

20

— Et l'enregistrement, vous l'avez ? demanda Tanase en se frottant les mains de joie. Apportez-le ici et quittez mon bureau.

Inclinant la tête, le major Édouard suivit les instructions de son chef, et il se dirigeait déjà vers la sortie quand Constantin, qui venait de se souvenir d'un point de détail, l'interpella soudain.

— Un instant, Édouard ! Qu'en est-il de l'agent que vous avez chargé de veiller sur Petrescu ? Comment se débrouille-t-il ?

— Petrescu ? demanda Édouard après réflexion. Il se débrouille bien, car comme policier, il est bon.

— Mais pas Petrescu, idiot ! rugit Tanase. Je parlais de l'agent.

— Monsieur le directeur, vous avez prononcé la phrase suivante, répliqua le major avec un calme inattendu. Vous avez dit : « Qu'en est-il de l'agent que vous avez chargé de veiller sur Petrescu ? Comment se débrouille-t-il ? »

— Et alors ? insista Tanase, qui ne voulait rien comprendre.

— Dans le cas présent, continua le major sur le ton d'un instituteur plein de patience, le pronom « il » suit un substantif... pardon un nom propre. On a Petrescu, puis « il ». Autrement dit, votre phrase était mal construite, ce qui vous a valu de recevoir une réponse qui ne vous a pas satisfait. En revanche...

— Quoi ?

La mâchoire de Tanase se décrochait toujours davantage.

— Si vous aviez construit votre question de la façon suivante : « Vous faites surveiller Petrescu par un agent. Comment se débrouille-t-il ? »...

— Eh bien ? l'interrompit Tanase, perplexe.

— Eh bien, le pronom « il » se serait trouvé après le substantif « agent » et en conséquence, il y aurait référé, conclut victorieusement le major. À lui et à rien d'autre !

Devenu livide, Tanase serra les poings. Les deux hommes restèrent muets quelques secondes durant.

— Dehors. Dégage. Le. Plancher, chuchota Constantin.

Comprenant que si Tanase chuchotait au lieu de hurler, c'était sous l'effet d'une rage folle, le major fila du bureau à la vitesse de l'éclair. Constantin réussit cependant à jeter sur son subordonné un petit buste fort coquin de Mata Hari, la poitrine à l'air. L'un des prédécesseurs de Tanase avait tracé une cible de tir autour du téton gauche de l'espionne. Le directeur du SIS regretta fort son petit buste quand il se brisa en frappant le major à la tête. Ravalant ses malédictions, Édouard referma la porte.

Pour se calmer, Constantin s'approcha de l'armoire où il conservait les œuvres choisies des opérateurs de son département. Les dossiers soigneusement alignés arboraient les dénominations les plus variées.

« Dans un endroit ressemblant à un sauna, un homme ressemblant au maire de la capitale s'accouple avec de jeunes gens ressemblant à des gamins de dix ans. » « Un homme ressemblant au ministre des Finances dérobe un objet ressemblant à un cendrier, sur une table installée dans un endroit ressemblant à un restaurant. » « Un homme ressemblant au Premier ministre fourre ses doigts dans une partie de son corps ressemblant à un nez, avant d'essuyer ces mêmes doigts contre un meuble ressemblant à une table. » « Une femme ressemblant à la femme de l'homme ressemblant au président effectue une série d'exercices ressemblant à du yoga – la femme ressemblant à la femme de l'homme ressemblant au président semble se trouver dans la tenue où sa mère l'a mise au monde. »

Et autres considérations du même acabit. Ayant repris haleine, Tanase glissa la cassette remise par le major dans son magnétophone et posa les pieds sur son bureau. Soudain, une chanson des Red Hot Chili Peppers se déversa des haut-parleurs. Constantin poussa quelques jurons fort graveleux avant de se rappeler que le principal expert du SIS en matière d'écoutes était un mélomane invétéré qui ne manquait aucune occasion d'enregistrer une chanson à son goût sur les cassettes du service. En outre, il complétait ainsi ses fins de mois, car ses compilations s'arrachaient comme des petits pains sur le marché central de Chisinau. Tanase ne pouvant renvoyer cet expert (car il n'aurait alors plus eu personne pour s'occuper des écoutes), il se vit contraint d'entendre le tube jusqu'au bout. Parce que, pour ne rien arranger, Constantin ignorait comment faire avancer la bande plus vite (il était seulement capable d'allumer et d'éteindre le magnétophone).

Quand la chanson fut terminée (« Pas mal », admit le directeur du SIS avec magnanimité), la cassette grésilla et bruissa, avant de laisser place à quelques anecdotes éculées de Radio Erevan[1] (Tanase s'empourpra de fureur), puis l'enregistrement des écoutes débuta enfin.

Constantin s'installa plus confortablement et jeta de nouveau ses pieds sur le bureau, avant d'ouvrir un sachet de cacahuètes acheté pour une occasion de ce genre. Tanase en raffolait, ce qui lui valait d'être surnommé à son insu « Notre Hamster » par ses subordonnés.

— Allons, allons, lieutenant Petrescu, ronronna-t-il. Dévoilez-nous votre essence de suppôt du terrorisme mondial...

Impossible de reculer. Il n'y avait pas si longtemps que, sur la base de deux dénonciations, le directeur du SIS, Constantin Tanase, avait conclu à l'existence en Moldavie d'un embryon de cellule terroriste liée à Al-Qaïda. Le premier de ces témoignages provenait d'un certain Sergiu Mocanu, gendre du propriétaire d'un kiosque à chawarmas situé en plein centre-ville (« Ils se sont installés sous notre nez », avait maugréé Tanase). À en croire Mocanu, un type prénommé Oussama, celui qu'on avait préposé au découpage des légumes, ressemblait à s'y méprendre au fameux Oussama ben Laden. Et pourquoi pas, après tout? Au bout du compte, la Moldavie était un endroit paisible, provincial, et Oussama n'aurait pu trouver meilleur pays où se cacher! La deuxième

1 Il s'agit d'une série de blagues, sous forme de dialogues humoristiques, très répandues en URSS. (N.d.T.)

déposition émanait d'un informateur travaillant dans les médias. Cette source avait nommé un certain Petrescu parmi les individus susceptibles de partager les idées extrémistes des islamistes. Certes, il n'avait pas précisé de quel Petrescu il s'agissait, mais les collaborateurs du SIS n'étaient pas des imbéciles : ils avaient retracé le cercle des connaissances de la source et déterminé qu'il ne comptait qu'un seul Petrescu, lequel exerçait la profession de lieutenant de police.

Cette découverte permit à Tanase de comprendre qu'il avait entre les mains non seulement l'avenir de son service, mais également celui de son pays. Et il envoya une dépêche urgente à l'ambassade des États-Unis. Les Américains admirent que l'affaire était sérieuse et lui promirent leur soutien. Il va de soi que Constantin ne divulgua pas tous les détails à ses partenaires américains.

Je ne suis tout de même pas assez bête pour permettre à un troisième zone de la CIA, muté en Moldavie pour ivrognerie, de capturer le plus grand terroriste du monde, disait-il, plein de morgue, en caressant le téton de Mata Hari. *Non, bon sang, Tanase n'est pas un imbécile! Tanase va en remontrer à tout le monde!*

À l'insu de ses subordonnés, Constantin avait même apporté dans son bureau une brassée de ces journaux occidentaux qu'il achetait à l'occasion de chaque déplacement professionnel. *Le Monde,* l'*International Herald Tribune,* le *Los Angeles Times,* le *New York Times...* À la une de chacun de ces quotidiens, Tanase avait collé son portrait agrandi, et il s'y examinait longuement, pensif, à la fois attendri et attristé.

Alors... sourit le directeur du SIS en augmentant le

volume du magnétophone. *Qu'est-ce que tu racontes de beau, Petrescu ?*

L'enregistrement débuta.

« De là à devenir Premier ministre, il n'y a qu'un pas. Et de là à président... »

Tanase bondit et, pressant pieusement ses mains l'une contre l'autre, s'agenouilla. Bingo ! Un attentat ! Ne pas oublier de le consigner dans son bloc-notes !

« J'ai eu un amant... une huile. Un type de la police, si je me rappelle bien. Ou un militaire, je n'ai pas essayé d'en savoir plus. »

Il faut le noter au plus vite, songea Tanase à toute allure. *Les terroristes ont tissé des liens dans les plus hautes sphères du pouvoir.*

« Je l'ai largué... il s'est mis à me traiter de maïs jeune, t'imagines ? Et il voulait que je devienne sa femme ou, du moins, sa maîtresse officielle... moi, ça m'ennuyait... »

Constantin serra les dents, envahi par une féroce pulsion de s'arracher la poitrine. Natalya. Natalya. Natalya. Le front en sueur, le directeur du Service d'information et de sécurité appuya sa tête chenue contre le rebord de la table et se mit à pleurer. Le magnétophone continuait à dérouler sa cassette.

« Dis... que je suis ta roulure... dis-moi... ta roulure... porc... dommage que tu ne sois pas black... j'ai toujours rêvé de baiser avec un Black... baiser avec lui... grands, noirs... gros... g r o s ! »

Comme un épi de maïs, sanglota Tanase. *Gros comme un épi de maïs, gros... Ô, Natalya...*

« Comme la tienne... roulure... catin... oui... oui... appelle-moi comme ça... oooh. »

La bande se termina sur un petit bruit de succion. Tanase se leva en chancelant (il dut prendre appui sur son bureau) et, sans rien voir de ce qui se trouvait devant lui, il s'approcha de son coffre-fort d'où il tira son arme de service.

21

— Il va se flinguer! s'écria le tout jeune stagiaire en bondissant de sa chaise. Vite, allons dans son bureau!

— Assis! lui ordonna le major Édouard, qui sortit une bouteille de vodka de sa table branlante et entreprit d'en dévisser le bouchon sans se presser. Il a le temps.

— Mais il va se flinguer d'un instant à l'autre! insista le stagiaire, hurlant presque.

— Tu es encore jeune, observa Édouard avec compassion. (Il remplit leurs verres.) À présent, bois. C'est un ordre, stagiaire. Bois!

Ainsi fut-il fait. Puis ils observèrent quelques minutes de silence. Poussant un soupir après cette pause (le bureau embaumait la vodka de contrebande bon marché, tiède de surcroît), le stagiaire battit des paupières. Ses yeux s'étaient emplis de larmes.

— Pleure pas, fillette, ironisa Édouard en remplissant de nouveau son verre.

— Je… Il me…

La langue du jeune homme avait commencé à devenir pâteuse après les premiers cent grammes[1]. Non, se dit

1   Les Moldaves, comme les Russes, évaluent les quantités de vodka en masse et non en volume. (N.d.T)

Édouard, il n'est pas encore maître de lui, et donc pas prêt à devenir l'un des nôtres.

— Je sais pourquoi on reste ici pendant que monsieur Tanase va se tirer une balle d'une minute à l'autre, poursuivit le stagiaire.

— Ah oui? fit Édouard en haussant le sourcil gauche. Et quelles sont tes conjectures?

— Vous voulez qu'il se flingue et puis qu'il meure, comme ça, la place de directeur sera vacante. J'ai compris votre petit manège!

— Il se flingue et puis il meurt... acquiesça Édouard d'un air pensif. Rien à dire, stagiaire, ça se tient. Je t'avouerai même franco que ton raisonnement déductif est tout ce qu'il y a de développé.

— En effet, admit l'intéressé en se jetant presque machinalement un deuxième verre derrière la cravate. On me fait beaucoup de compliments sur mon esprit logique, à l'Académie de police. Et en général... Aux derniers partiels, j'ai eu dix sur dix en philosophie.

— Eh bien, conclut Édouard, qui remplit une nouvelle fois leurs godets, il faut boire à la philosophie...

Aussitôt dit, aussitôt fait. Puis ils observèrent derechef quelques minutes de silence. Sur la grisaille de l'écran accroché dans un coin du bureau, le directeur du SIS regardait fixement le canon de son pistolet.

22

— Allez, à la bonne vôtre, lança Édouard en soupirant bruyamment, tandis qu'il éclusait les restes de vodka.

— Je sais pas pourquoi, je ne me sens pas très bien, marmonna le stagiaire en fixant l'écran d'un regard trouble. Il fait un peu chaud, chez vous.

— Eh bien, tu vas aller tout de suite me respirer un peu d'air frais, répliqua Édouard d'un ton caressant.

— Faut que je prenne quelqu'un en filature ?

— Non, va chercher de la vodka.

— Oh, mais je suis pas capable de boire autant.

— Primo, stagiaire, personne ne t'interroge sur la quantité de vodka que tu peux ingurgiter. Secundo, c'est pour moi que tu vas la rapporter. Quand ce sera fait, tu peux considérer ta journée de travail comme terminée.

— Mais enfin, et M. Tanase ?

— Ça fait combien de temps qu'on est là, toi et moi ?

— Vingt minutes et cinquante-deux secondes. Cinquante-trois. Cinquante-quatre…

— Quel gros malin ! Et tatillon avec ça ! On voit tout de suite que tu es des nôtres. Seulement tu te crispes pour rien. Il va pas se flinguer. Il va rester à contempler son pistolet, et puis il finira par le remiser dans son tiroir.

— Sûr ? demanda le stagiaire, l'œil brillant d'espoir.

— Mais oui, le rassura Édouard. J'ai déjà eu l'occasion de bien observer mon chef. Et toi, à ton tour, quand on t'embauchera dans le service, tu m'étudieras sous toutes les coutures. C'est comme ça qu'on tient.

— Comment ?

— Peu importe. Prends dix lei, et rapporte-moi de la vodka. Avec un petit quelque chose à grignoter.

— Mais ça coûte plus cher que ça.

— Eh bien, tu n'auras qu'à inventer quelque chose. Tu es quand même un futur soldat du renseignement.

Le stagiaire parti, Édouard éjecta la cassette du magnétoscope pour y charger une nouvelle bande. Les caméras espions montraient que rien n'avait changé dans le bureau de Tanase. Le major observa l'écran avec curiosité. Il brûlait de savoir si son chef allait finir ou non par se tirer une balle. Car c'était la première fois que le directeur du SIS était sujet à ce genre de comportement extrême, lui que ses subordonnés considéraient au contraire comme quelqu'un d'équilibré et de paisible.

Finalement, après avoir poussé un discret soupir, Tanase écarta le canon de son visage, se leva et rangea son pistolet dans le coffre-fort. Édouard lâcha un petit ricanement satisfait et jeta un coup d'œil à son reflet dans le miroir. Au centre d'un écrin d'éclaboussures de dentifrice, de traces de gomina et autres empreintes de doigts gras, il apercevait un petit homme râblé au visage rougi par une consommation régulière d'alcool. Deux veines bleutées couraient de la courbure de son nez jusqu'à ses narines. Une moustache clairsemée hérissait sa lèvre supérieure – Édouard n'aimait pas se raser. L'homme du miroir rectifia sa coiffure de deux doigts boudinés et se gratta derrière l'oreille.

— Je suis plutôt pas mal du tout, constata pensivement Édouard en traînant sa chaise près du miroir. J'ai juste le nez trop poilu. Oui, et mes oreilles aussi… elles sont quand même velues.

Fredonnant «*Dragostea Din Tei*» (sachant que cette chanson mettait Constantin Tanase en rage, Édouard l'affectionnait tout particulièrement), le major s'approcha de la table. Ayant sorti de petits ciseaux de manucure, il s'assit devant le miroir et entreprit de se tailler les poils du nez. Ça chatouillait. Du coin de l'œil, le major continuait à consulter la caméra de surveillance. Il regrettait amèrement que Tanase ne se fût pas tiré une balle. Bien entendu, on ne l'aurait pas nommé à la direction du Service d'information et de sécurité pour autant (il n'avait aucun proche parent ni au parlement ni au gouvernement), mais la mort de Tanase aurait permis à tous les officiers du service de grimper automatiquement d'un échelon. Le genre d'avancement qui aurait tout à fait convenu à Édouard, bloqué depuis trop longtemps au grade de major. Hélas, le directeur du SIS ne s'était pas flingué. Renversant la tête en arrière, Édouard s'enfonça les ciseaux dans une narine et récita sa prière quotidienne, dont les paroles lui avaient été enseignées autrefois par son père :

— N'envie jamais personne en quoi que ce soit. Tu peux être un pervers, baiser avec douze maîtresses et lorgner sur trois de plus, tu peux t'envoyer des petits garçons, des fillettes, des chevaux ou des putois, tabasser des vieilles, semer des morceaux de verre dans la salade de la cantine, agir comme un psychopathe, un imbécile ou une

bête enragée… tu auras tout, à la seule et unique condition
de ne jalouser personne. Édouard se répétait chaque jour ces paroles, pourtant
le sentiment de jalousie ne le quittait malheureusement
jamais. Le major ne cessait d'envier. Tout le monde.
Le directeur du SIS, les propriétaires d'automobiles
(Édouard lui-même n'ayant jamais réussi à passer le
permis), son voisin, qui avait fait l'acquisition d'un nouveau
meuble de rangement, sa voisine, qui venait d'entreprendre
des travaux de rénovation, ses condisciples, dont un grand
nombre avait mieux réussi que lui, Édouard, major de la
sécurité d'État. La seule zone lumineuse de sa mémoire,
c'était un séjour de deux ans à Londres, où Édouard avait
eu l'intention d'apprendre les bottes secrètes de James
Bond. Hélas, les collègues anglais ne prêtèrent aucune
attention à l'homme en imperméable crotté venu d'un
pays obscur (ils ne cessaient de confondre Malte et la
Moldavie). En deux années, Édouard n'apprit qu'une
seule chose : comment bien faire infuser le thé.

— Eh bien, ça n'est pas rien non plus, constatait sereine-
ment Tanase, quand le major apportait dans son bureau
des tasses de thé parfumé, infusé dans les règles de l'art.
Si on te vire pour incompétence, tu pourras te recaser dans
un resto ou un salon de thé.

Et son chef de glousser. Édouard souriait avec aigreur,
posait la tasse sur le bureau et sortait en refermant doucement derrière lui. Après quoi il crachait en général sur
le capitonnage de la porte, grimaçait et tirait la langue.
Et pour que Tanase ne puisse le voir, le major avait obstrué
avec un chewing-gum l'objectif de la caméra de surveillance placée au-dessus de la porte. Tanase en avait conclu

que la caméra était simplement tombée en panne (il ne lui avait même pas traversé l'esprit d'y jeter un coup d'œil).

Ayant achevé la taille des poils de son nez, Édouard s'aspergea le visage d'eau froide au-dessus du lavabo fixé dans un angle du bureau et s'attaqua aux oreilles. Ce fut le moment que choisit le stagiaire pour revenir, chargé de vodka et de tomates.

— Mais qu'est-ce que c'est que ça ? demanda le major en louchant sur les tomates.

— De quoi accompagner la vodka, hoqueta le stagiaire, légèrement dessaoulé. Un accompagnement du tonnerre. Quand ils ont introduit les tomates en Europe, les Espagnols les appelaient « pommes d'amour ». À moins que ce soient les oranges ?

— Tu sais quoi, me prends pas la tête avec la botanique, répliqua Édouard qui en avait terminé avec son oreille gauche. Verse plutôt la vodka.

— Je peux en avoir un petit coup, moi aussi ?

— Tu peux, consentit Édouard d'un air engageant, seulement sers-t'en moins.

— C'est moi qui suis allé chercher la bibine et je m'en sers moins, vous trouvez que c'est juste ? se révolta le stagiaire.

— Bien sûr que non, admit gaiement Édouard qui rangea les ciseaux dans un tiroir de son bureau. Mais si tu as besoin de justice, va faire ton stage au comité des Droits de l'homme.

— Il y en a un chez nous ?

— Naturellement. Les Américains en ont ouvert un, il y a deux ans. Et juste après, ils ont fermé le bureau de la CIA en Moldavie.

— Comment ça se fait ?

— Ben, pourquoi ils auraient conservé deux organisations identiques dans un même pays ?

Édouard ralluma la caméra de surveillance fixée dans le bureau du directeur. Une bouteille de cognac maladroitement serrée entre les pognes, Constantin Tanase essayait de l'ouvrir avec les dents.

— Il arrivera à rien, constata le stagiaire après un coup d'œil à l'écran. Il l'ouvre pas comme il faut.

— Qu'il mouille un peu sa chemise, décréta Édouard. On va tout de même pas aller le trouver et lui proposer notre aide : « Alors, voilà, on a mis votre bureau sous surveillance… »

— D'ailleurs, c'est illégal, renchérit le stagiaire, désireux de faire étalage de ses connaissances.

— Bien entendu, approuva flegmatiquement Édouard. C'est parti, buvons.

— Mais il aurait été intéressant d'observer comment le directeur du tout-puissant Service d'information et de sécurité s'y prenait pour se flinguer, lâcha prudemment le stagiaire en observant Édouard par en dessous (vu qu'il s'était assis par terre).

— Le Service n'a jamais été tout-puissant, répliqua Édouard, après avoir testé la vodka à même le goulot. Et le directeur, il se flinguera jamais.

— Tout ça à cause d'une femme…

Le stagiaire tentait désespérément de paraître plus mature.

— La femme n'a rien à voir là-dedans, fit Édouard en haussant les épaules. C'est juste une histoire de nerfs.

Les deux hommes burent et se plongèrent dans leurs pensées. Une mouche entra par la fenêtre ouverte. Édouard suivit paresseusement le vol de l'insecte, et quand il se posa sur le dossier d'une chaise, le major lui asséna un coup brutal à l'aide d'un journal roulé en tuyau.

— Mais enfin, c'est pas hygiénique! s'indigna le stagiaire.

— C'est comme ça qu'on traite les ennemis de la patrie, rétorqua Édouard en essuyant la sueur qui lui dégoulinait du front. Et maintenant, écoute-moi bien attentivement, stagiaire.

— Je vous écoute toujours attentivement.

— Sauf que jusqu'à maintenant, lui expliqua Édouard sans s'énerver, c'était pas du tout la peine de m'écouter.

Sur l'écran noir et blanc, Constantin Tanase pleurait à gros bouillons. La tête sur la table, il hoquetait, glapissait et soupirait convulsivement. Le stagiaire se mordit la lèvre de pitié, tandis qu'Édouard se gondolait.

— *Grosso modo*, tu nous conviens, annonça-t-il au stagiaire, et nous t'avons déjà enrôlé dans les effectifs de notre organisation. Bien entendu, pas juste comme ça, pour tes beaux yeux.

— J'ai…

— Oui, oui, l'interrompit Édouard avec impatience, tu as des yeux quelconques. Je le sais parce que nous ne prenons pas de gens à l'allure trop frappante. C'est une chose d'être filé par M. Tout-le-Monde, c'en est une autre quand il s'agit d'un Antonio Banderas.

— Vous avez aussi recruté Banderas! chuchota le stagiaire, au comble de l'enthousiasme. En voilà une affaire…

— Disons plutôt que nous collaborons avec lui, jeta Édouard qui ne voulait pas décevoir le stagiaire. Mais ne te déconcentre pas. Je vais te parler de la mission qui t'attend. Comme tu le sais, lors des élections au parlement, la nouvelle direction du pays a promis à la population de résoudre au plus vite le conflit avec la Transnistrie.

— Et aussi le bus gratuit pour les étudiants! s'écria le stagiaire tout exalté.

— Le bus, ça n'a pas d'importance. On ne s'occupe pas des bus. En revanche, on s'occupe de la Transnistrie, et pas qu'un peu. Alors, qu'a fait notre président dès qu'il est devenu président? Je te rafraîchis la mémoire : il a essayé de conclure un accord de paix avec la Transnistrie. Et qu'est-ce qu'il a obtenu en réponse? Des provocations, des calomnies, des mensonges.

Le stagiaire hocha la tête avec compassion. Il éprouvait beaucoup de peine à l'égard du président. En tout cas, pour l'heure, après avoir ingéré une certaine quantité de vodka dans le bureau d'Édouard.

— Et qui est l'initiateur de toute cette campagne visant à salir notre patrie? Oui, un certain Smirnov, qui se trouve…

— … être le président de l'État non reconnu qu'est la République moldave du Dniestr! martela le stagiaire, comme devant un examinateur.

Après quoi il bascula sur sa chaise.

— Bravo, stagiaire. Je suis fier de toi. Tu as le droit de boire encore une gouttelette. Considère qu'il s'agit là de ta première citation.

— Elle va figurer dans mon livret de travail?

— Non, bien sûr que non, stagiaire. Ça n'y sera pas consigné. D'ailleurs, tu n'auras pas de livret de travail non plus. Et si par hasard tu te fais attraper, et que sous la torture, tu craches que tu travailles pour le SIS, nous te désavouerons. Telles sont les règles de la partie implacable et virile dans laquelle nous sommes engagés.

— Je comprends. (Le stagiaire prit un air digne.) Je comprends tout.

— Alors voilà, en supposant que Smirnov n'ait pas été là, le peuple de Transnistrie, reconnaissant à notre président pour l'amour et le soutien qu'il lui témoigne, se serait depuis longtemps uni à la Moldavie. Mais ce Smirnov gâche tout. C'est un empêcheur de tourner en rond. Aussi importun qu'une mouche. Alors qu'il n'est même pas originaire de Moldavie. Rien de plus qu'un étranger. Mais qui ne veut pas s'en aller en Russie. Si bien qu'au final, on a un Popov quelconque, surgi d'on ne sait où, qui fait obstacle à la réunification de la Moldavie et de la Transnistrie.

— C'est affreux…

— Non, c'est pas grave, stagiaire. Ce qui est affreux, c'est qu'on n'arrive toujours pas à neutraliser Smirnov. À le liquider. À le détruire. Choisis le terme que tu préfères.

— « Neutraliser ».

— Bien dit. Donc, tu vas le neutraliser.

— Moi ?

Le stagiaire s'en était soulevé de son siège.

— Toi, oui. Et ne crains rien : dès que Smirnov n'existera plus, nous nous réunirons et tu deviendras le héros national de la Moldavie.

— Le héros de la Moldavie dans ses frontières de 1989, rectifia le stagiaire tatillon.

— Soit, convint Édouard. D'accord, tu seras le héros de la Moldavie dans ses frontières de 1989. Quoi qu'il en soit, ça ne te dispense pas du devoir sacré de tout collaborateur du SIS, à savoir d'exécuter les ordres de ton commandant, de recevoir une décoration et de devenir une légende vivante des services secrets.

— Une légende...

— Bien sûr. Car Smirnov n'est autre qu'un membre du mouvement terroriste international. Les armes fabriquées dans les usines de la capitale transnistrienne Tiraspol sont envoyées par convois entiers aux talibans d'Afghanistan, aux bandits irakiens, aux pourvoyeurs de marchandises humaines en Albanie...

— C'est vraiment des misérables, s'enflamma le stagiaire, je suis d'accord. Mais comment? Je ne tire pas très bien, je ne maîtrise pas les techniques du combat rapproché...

— C'est très simple, stagiaire. Dans deux jours, à l'aube, tu partiras pour Tiraspol à bord d'une voiture appartenant à la rédaction d'un journal. Un journaliste t'accompagnera. Un certain Vladimir Lorinkov. Il ira interviewer Smirnov au sujet du énième anniversaire de la prétendue indépendance de la prétendue République moldave du Dniestr. Dans ce scénario, tu es censé être photographe.

— Je sais pas vraiment prendre des photos.

— C'est même mieux ainsi. Presque tous les photographes de presse moldaves sont mauvais. Tu te fondras dans la masse. Pendant l'interview, tu t'approcheras de

Smirnov et tu le toucheras légèrement avec la manche de cette veste. Ici, dans cette manche, comme tu peux le voir, on a installé une seringue spéciale. Smirnov ne sentira même pas la piqûre. Vous vous en irez, et fin de l'histoire.

— Il mourra ?

— Non, il vivra heureux et longtemps. Bien sûr qu'il mourra !

— Dans d'atroces souffrances ?

— Bah, je ne pense pas. Le poison fait effet vingt-quatre heures après son injection, et la victime n'éprouve pas de douleurs particulières.

— M. Tanase est au courant de ce que je suis censé faire ?

— Non. C'est moi qui conduis cette opération. M. Tanase est en charge d'une autre affaire : il s'apprête à anéantir une cellule terroriste basée à Chisinau, pour capturer Ben Laden en personne.

— Ben Laden est à Chisinau ?

— Et où pourrait-il bien se trouver d'autre ?

— Si on m'attrape…

— Tu ne sais rien, tu n'as jamais appartenu au SIS, tu ne vois absolument pas comment cette seringue a pu se retrouver dans ta manche.

— On pourrait peut-être attribuer sa présence dans ma veste au fonctionnement déplorable de l'industrie légère dans notre république, suggéra le stagiaire avant d'ajouter : Je suis un patriote, je ne peux refuser d'exécuter un ordre. (Il se leva en chancelant.) Je jure solennellement d'accomplir mon devoir jusqu'au bout.

— Bravo, stagiaire, t'es balèze, applaudit Édouard en se levant à son tour. Tiens, je vais t'embrasser pour la peine.

Sur l'écran noir et blanc, Constantin Tanase s'était endormi, la tête enfouie dans les bras. Après avoir bavé sur la joue du stagiaire, Édouard retira précautionneusement la seringue de la boucle spéciale qui la maintenait dans la manche de la veste.

— Qu'est-ce que vous allez faire ? s'enquit le stagiaire.

— À proprement parler, je vais remplir la seringue de poison.

— On peut savoir quels sont ses composants ? demanda le jeune homme curieux en s'accroupissant. Je pose juste la question comme ça. Pour mes mémoires. Parce que tôt ou tard, je finirai bien par les écrire.

— Dans ton propre intérêt, je te conseille de les écrire le plus tard possible. (Édouard lui adressa un sourire cordial.) Tant qu'à faire, en maison de vieux. Tard dans la nuit, sous ton lit. À l'encre sympathique.

— Bon, mais quand même, les composants ?

— Je vais t'expliquer. Autrefois, dans les opérations de ce genre, nous utilisions du jus de maïs vert. Y a que les imbéciles que ça fait rigoler !

— Excusez-moi, je voulais pas...

— Donc oui, ce jus est extrêmement vénéneux. De même, d'ailleurs, que les fanes de tomates ou de pommes de terre. D'après ce que j'ai compris, tu es un expert en botanique, tu dois le savoir...

— Oui, tout à fait. Une partie des plantes de la famille des solanacées est vénéneuse.

— Voilà. Ensuite, nos ennemis ont découvert un antidote au jus de maïs vert. Alors nos spécialistes ont dû trouver de nouveaux produits en urgence. Le hasard les a aidés : la police a mis au jour un laboratoire clandestin où l'on produisait de la vodka Probka frelatée.

— Une marque très connue, confirma le stagiaire.

— Il s'est avéré, poursuivit Édouard en prenant mille précautions pour faire tomber le poison goutte à goutte dans la seringue, que cette vodka avait une puissance vénéneuse incomparable, supérieure même à celle d'un produit toxique aussi célèbre que le curare.

— Je l'ai lu, en effet. Chez Louis-Henri Boussenard.

— On a découvert qu'après ingestion de cent ou deux cents grammes de cette vodka, un être humain devient aveugle, sourd et muet. C'était exactement ce qu'il nous fallait. Nous avons confisqué la part que les policiers avaient déjà l'intention d'écouler sur le marché, via leurs connaissances, et nos spécialistes ont élaboré un concentré de cette mixture.

— J'ai une suggestion !

Tout en continuant son méticuleux transvasement, Édouard manifesta de tout son être combien il était intéressé. Le stagiaire suivait les manipulations du major avec la plus grande attention.

— Je pense, commença-t-il, qu'il est possible de simplifier considérablement la procédure visant à neutraliser notre principal ennemi.

— Et de quelle manière ? ricana Édouard, qui en avait enfin terminé avec le poison.

— Il ne serait pas bien difficile de rester dans le bureau de Smirnov après l'interview, puis de lui proposer de boire un coup. Et ensuite de poser sur sa table une bouteille de la vodka que vous avez citée.

— Pas mal, stagiaire, le complimenta Édouard, seulement tu comprendras sans mal où est le hic. Smirnov ne regardera même pas cette vodka. Il boit du cognac, et du bon, du Kvint. Tu en as entendu parler ?

— Bien sûr, monsieur le major.

— Hé, pas de chichi, appelle-moi Édouard Nikolaïévitch, comme mes amis.

— Bien sûr, Édouard Nikolaïévitch, je connais le cognac Kvint.

— Oui... À Chisinau, il se vend à vingt dollars la bouteille, tandis qu'à Tiraspol, tu peux l'avoir pour cinq. À ce propos, une fois que tu auras accompli ta mission, fais un petit détour par cette enseigne pour acheter une caisse de cognac. Je te donnerai de l'argent.

— C'est compris.

— Bravo. Mais donc, la variante où tu boirais un petit coup de vodka avec Smirnov ne fonctionnerait pas. Et puis, imagine, Dieu t'en préserve, qu'un garde t'ordonne de boire le premier, pour goûter, comme on dit ? Hein ? Ah-ah.

— Je clamse ?

— C'est pas le mot exact. En laboratoire, quatorze rats ont crevé à l'instant où nous avons ouvert une bouteille de cette cochonnerie.

— Les pauvres...

— C'est juste des rats, stagiaire. Inutile de t'affliger. Des rats gris ordinaires. Tu pensais qu'on avait de gentils petits rongeurs dans nos labos, du genre de ceux qu'on voit dans les publicités pour la nourriture des hamsters ? Des rats de laboratoire blancs ? Que nenni ! Chez nous, les rats sont des vrais de vrais, comme ceux qui courent dans les maisons. Notre département n'a pas l'argent pour des rats de laboratoire blancs. Faut faire des économies, putain de leur mère !

— Dites-moi, Édouard Nikolaïévitch, intervint timidement le stagiaire. Pourquoi on fabrique une vodka aussi mauvaise en Moldavie ? C'est quoi, un complot ?

— C'est une question d'image, stagiaire, répondit le major d'un ton avisé. Oui, d'image. L'eau est bonne ici, l'alcool aussi, les gens pas plus manchots qu'ailleurs, donc la Moldavie pourrait produire une vodka de qualité. Mais ça ne correspondrait pas à l'image du pays. Nous ne devons fabriquer que de bons vins et de bons cognacs.

— Alors dans ce cas, pourquoi la qualité de nos vins s'est-elle autant dégradée ?

— Alors ça, oui, stagiaire, c'est un complot.

23

Après avoir dû laisser passer trois autobus, la mère Maria n'espérait plus quitter Chisinau quand s'arrêta un taxi collectif parti d'Ungheni.

— Hello, la mère ! l'accueillit joyeusement le chauffeur. Assieds-toi, je vais t'emmener. Et pour dix lei seulement.

— Tu conduis vite ? s'enquit la bonne femme avec un coup d'œil méfiant en direction de la main gauche plâtrée du chauffeur.

— À la vitesse de l'éclair ! répliqua-t-il.

Ayant jeté la phrase rituelle de tout conducteur qui se respecte, il aida la vieille femme à grimper dans son véhicule.

L'habitacle était étriqué et étouffant. Entre deux et cinq personnes avaient pris place sur chaque siège, sans pour autant se priver de gesticuler et de discuter. Deux passagers supplémentaires étaient installés à même le plancher de la voiture, qu'ils avaient recouvert de papier journal. Quatre autres tenaient en équilibre précaire sur des tabourets que l'entreprenant chauffeur avait emportés avec lui. Bref, il s'agissait d'un minibus interurbain régulier, tel qu'on en voit couramment en Moldavie. S'étant faufilée tant bien que mal parmi les passagers en sueur, la mère Maria posa à ses pieds un cabas contenant la dépouille d'un coq et s'accouda à un carton de maïs.

— C'est cinq lei de plus par bagage, cria le chauffeur d'un air crâne, avant de se mettre à glousser. Les bons comptes font les bons amis.

La mère Maria comprit que le chauffeur était quelque peu sous l'emprise de l'alcool. *C'est pas grave*, pensait-elle, bringuebalée par le minibus qui bondissait en franchissant les ornières. *Il faut bien que jeunesse se passe.* À la demande des passagers, le chauffeur avait allumé la radio. La fréquence qu'il réussissait à capter diffusait le programme de radio *Chanson*.

— « La fusée a pris son envol », se mit à brailler le chauffeur tout content. « L'homme a sorti son couteau… »

Inspiré par la chanson, il donnait de brusques coups de volant.

— « Loup gris, plaisante pas ! », lui répondit l'habitacle à l'unisson. « T'as soif de sang, eh bien… »[1]

La mère Maria sourit d'un air malicieux en s'essuyant la commissure des lèvres avec son mouchoir. Elle avait décidé, voilà une dizaine de minutes, qu'il était temps de manger. Elle s'était ingéniée à tirer de son sac une portion de poisson frit, un peu de pain et de fromage de brebis.

— Tu en veux ? demanda-t-elle poliment au jeune homme assis à ses pieds – un étudiant, selon les apparences.

— Merci, mais non, répondit l'intéressé qui leva des yeux de chien battu vers le plafond du véhicule.

---

1 Paroles tirées de « L'Homme en parka », une chanson d'Ivan Koutchine dont un passage parle de l'affrontement d'un homme et d'un loup. (N.d.T.)

La mère Maria ricana d'un air roublard et se mit à manger, avec le souci de conférer de la délicatesse à ses bruits de déglutition. Elle s'y prenait vraiment silencieusement, en tâchant de dissimuler sa bouche derrière une main (ce qui empêchait par la même occasion qu'on jauge la quantité de nourriture qu'elle engloutissait). Et quand elle rotait, c'était aussi avec la plus grande urbanité, la tête levée vers le plafond, afin que personne ne se prenne un morceau régurgité en pleine face. Bref, la mère Maria respectait toutes les règles de l'étiquette routière, aussi s'étonna-t-elle fort que son repas semble irriter l'étudiant. Alors, souriant avec une malice accrue, elle en secoua les miettes par terre et sortit une petite bouteille de vin de son sac. Ce vin, par ailleurs en vente – en le fabriquant, le père Vassili, époux de Maria, s'efforçait de mettre le plus de pépins possible dans le moût en fermentation –, flanquait tous les citadins à terre. S'étant délicatement servi un petit verre du liquide violet (dont une partie se déversa sur la tête des passagers, soulevant des plaisanteries et des jurons qui animèrent l'habitacle), Maria vida le récipient avant de le remiser dans son sac. Comme il restait encore deux heures de trajet jusqu'à Chisinau, la vieille femme s'appuya contre le dossier de son siège, fit glisser sur ses épaules le foulard qui lui couvrait la tête et chercha le sommeil. Mais l'autobus cahotait tellement que Maria renonça et décréta qu'une petite conversation ne lui ferait pas de mal.

— T'es étudiant? demanda-t-elle au jeune homme se languissant à ses pieds.

— Oui, marmonna l'interpellé, qui plongea le nez dans son livre.

— Et pourquoi que tu lis, comme ça, sans t'arrêter?

La question de Maria était purement rhétorique, et elle y répondit d'elle-même (ce qui est d'ailleurs le propre d'une question rhétorique) :

— Oh, c'est parce que t'es jeune, t'as rien d'autre à faire.

— Mouais.

L'étudiant n'avait de toute évidence aucune envie de partager la gaieté de la mère Maria.

Alors qu'il y avait pourtant de quoi se réjouir. Cela faisait deux semaines qu'elle, la mère Maria, turbinait comme une possédée sur une terre desséchée, et qu'en rentrant du champ, elle préparait à manger, rangeait, cousait, lavait, nourrissait le bétail et les volailles, sarclait son potager. Or malgré tout cela, à quoi il fallait encore ajouter une série d'exercices vespéraux obligatoires – une bagarre avec Vassili, saoul comme toujours, suivie de trois, quatre tours de la maison au pas de course pour échapper à la hache du même Vassili –, la mère Maria était une femme bien en chair. Et voilà qu'après s'être échinée, elle avait pris son coq, un seau de maïs, et s'en allait vendre le tout à Chisinau. Là-bas, elle pourrait observer le marché, s'y promener, examiner longuement les gens et se montrer. Et si en plus elle avait la chance de rencontrer quelqu'un de sa connaissance... Natacha Rostova[1] et son bal, c'étaient des vacances par comparaison avec la venue de la mère Maria sur le marché de Chisinau. Mais cette dernière ignorant qui était Natacha Rostova, l'absurdité du rapprochement ne lui venait même pas à l'esprit. Elle était simplement heureuse, ravie. Point à la ligne. Cependant, son bonheur

---

1   Il s'agit de l'héroïne du roman *Guerre et Paix* de Tolstoï. (N.d.T.)

demeurait incomplet sans quelqu'un pour le partager avec elle.

— Mon arrière-petit-fils habite en ville, lui aussi, continuait-elle, malgré la répugnance obstinée de l'étudiant à converser. Et lui aussi, il fait que lire, lire et relire. Mais pourquoi ? Pour qui ? Toi, par exemple, qu'est-ce que tu lis ?

Sans attendre de réponse, la vieille arracha l'ouvrage des mains de l'étudiant, avec douceur selon ses critères, et jeta un coup d'œil au titre qu'elle mit cinq bonnes minutes à déchiffrer.

— *Histoire des Roumains*, fit-elle en rendant négligemment son livre au jeune homme. Tu ferais mieux de m'écouter. La mère Maria t'en racontera tant sur cette histoire qu'on va te porter en triomphe, dans ton institut. Je m'en souviens comme si c'était hier, du début de la guerre, et de mon voisin qui courait à travers champs. Pavel Lazartchouk, qu'il s'appelle. T'en as pas entendu parler ? Non ? C'est bizarre. D'où tu viens ? De Trebujeni ? C'est bizarre, tu viens de Trebujeni et tu connais pas les Lazartchouk ? Ion, son cousin, il est devenu mécanicien après la guerre, il se déplaçait en tracteur. Mais un jour qu'il s'était saoulé, il a fini dans le fossé. Pour le tirer de là, on a dû aller chercher des gens dans quatre villages pour qu'ils nous prêtent main-forte. Et on l'a sorti comme ça, à la force de nos bras. Qu'est-ce que tu veux y faire, fiston, c'était l'époque qui voulait ça…

L'étudiant se détourna délicatement et chercha à reprendre sa lecture. *Un étranger*, se dit la mère Maria. *Et mon arrière-petit-fils aussi. Comme tous les gosses partis à la ville. T'arrives, tu t'assois, les mains sur le ventre, bref, t'es assise là comme une femme convenable, et eux, ils te tournent le dos. Je suis une étrangère pour eux, pour tout le monde, d'ailleurs. J'ai que Vassili de familier, sauf que celui-là, il essaie tous les soirs de me filer un coup de hache.* La propension à la mélancolie n'était toutefois pas ce qui caractérisait la mère Maria. Sans quoi elle n'aurait pas survécu à la guerre et à la collectivisation.

— Donc, tu connais pas les Lazartchouk, qu'habitent dans notre village, reprit-elle. Mais à quoi ça ressemble, je te demande un peu ? Pour connaître un certain Koutouzov qu'a pourchassé les Turcs et s'est carapaté devant eux, ça tu connais, mais Lazartchouk de Starye Ploiesti, non. Pourtant, notre Lazartchouk, c'est pas moins un être humain que ton Koutouzov. Donc au final, qu'est-ce que t'as besoin de cette histoire racontée dans un livre ? Écoute plutôt ce que la mère Maria peut te raconter.

— Hmm, grommela l'étudiant en tournant sa page.

D'où tomba la photo d'une jolie jeune fille. La vieille bonne femme plissa ses yeux myopes, ce qui paracheva son expression sournoise, et elle adressa un clin d'œil au malheureux jeune homme.

— C'est ta fiancée ?

— Mouais, répondit-il en s'empourprant davantage, avant d'ajouter sans raison apparente : On crève de chaud, ici.

— Mais vas-y, ouvre la trappe du toit, fiston ! se réjouit la mère Maria. Ouvre, ne te gêne pas pour moi, la mère Maria est trop vieille pour y arriver, mais toi, vas-y, pousse dessus.

L'étudiant rangea la photographie dans le livre et se leva en essayant de ne pas tomber. Il exerça une forte poussée sur le vasistas et bientôt, un courant d'air frais traversa le taxi. La mère Maria souriait de bonheur : pendant que l'étudiant ouvrait la trappe du toit, elle avait réussi à jeter ses sacs sur son siège et à s'installer à la place du jeune homme. Après avoir jeté un regard apitoyé dans sa direction, l'étudiant reprit son livre et se remit à lire.

— Hé! s'exclama un type à la casquette fatiguée, qui avait somnolé jusqu'à présent et se réveillait pour avaler une gorgée de vin au goulot de sa bouteille. Fermez donc cette trappe! Y a du courant d'air! Vous êtes sourds ou quoi? Fermez ce vasistas! Ils ont trop chaud, vous parlez d'une affaire.

— Il a raison, renchérit un groupe de types qui jouaient au *dourak*[1]. Fermez ce truc. Ça souffle les cartes.

— Eh ben, fiston, qu'est-ce que t'as à rester sans réagir? demanda affectueusement la mère Maria. Tu es jeune, plein de forces, tire donc sur la trappe et referme-la. C'est vrai que ça fait du courant d'air.

— Mais enfin, c'est vous qui avez voulu l'ouvrir, s'étonna le pauvre étudiant. Qu'est-ce que c'est que ce bordel?

— Voilà bien les jeunes! constata la vieille en secouant la tête à l'adresse de sa voisine, elle aussi d'âge respectable. Il faut toujours qu'ils répondent aux vieilles personnes, mais pour ce qui est de faire plaisir, là, y a plus personne!

— Qui offense des vieux par ici? aboya le type à casquette après avoir vidé sa bouteille. Allez, ramène-toi.

L'étudiant referma la trappe et rangea son livre dans son sac.

---

1   Il s'agit d'un jeu de cartes très populaire en Union soviétique. (N.d.T.)

— T'appuie pas sur le dossier, le pria Maria, qui se trémoussait pour s'installer plus confortablement. Je suis mal assise quand tu prends appui là-dessus. Reste debout comme ça, fiston, tes jambes sont encore jeunes.

Le chauffeur jeta un coup d'œil à la ronde, à s'en démancher le cou, ce qui valut une belle embardée à son minibus.

— Qui c'est qui est debout dans le passage ? vociféra-t-il. Bon sang, mais accroupis-toi, que la police me colle pas une amende pour surcharge.

— Bien dit ! approuvèrent les joueurs de cartes sans lever les yeux de leur main.

— Non, mais ils ont un de ces toupets, intervint soudain une femme d'âge moyen, qui tenait un sac de pommes de terre. Ils ont toujours un pet de travers.

— Ouvre la fenêtre, vint renchérir le petit mec à casquette. Ferme la fenêtre. Un coup assis, un coup debout.

— Ah, mais tu vas te baisser ! gloussa le chauffeur.

— Ts, ts, ts, fit la mère Maria avec un petit claquement de langue. Elle est belle, la jeunesse.

— Monstre !

— Botaniste !

— Et tu parles d'un merdier qu'ils ont foutu en ville !

— Ils veulent prendre le bus gratuitement !

— Je ne fais pas partie des manifestants, se justifiait l'étudiant.

— Vous êtes bonnet blanc et blanc bonnet !

— Feignasses ! Glandeurs !

— Butors ! On ferait mieux de les envoyer aux champs ! Moi j'ai passé ma vie à trimer !

Le minibus se gondolait. La mère Maria était aux anges. Posant le sac contenant son livre sur les genoux de la vieille, l'étudiant se fraya un chemin jusqu'aux rangées du fond, ôta la casquette de la tête du petit mec, lui écrasa la gorge et lui marmonna d'une voix rauque :

— Je vais te tuer.

On n'entendait plus un bruit dans le taxi. Le petit mec contrefit aussitôt le type très ivre assommé par l'alcool, le chauffeur devint chagrin, commença à surveiller la route et cessa d'enfreindre le code, ce qui ralentit de beaucoup la vitesse de son véhicule.

— Et toi, lui chuchota tendrement l'étudiant à l'oreille, lorsqu'il eut regagné l'avant de l'habitacle et fermement agrippé le chauffeur par le cou, regarde la route, dégénéré. Hier, y a un chauffard en Kamaz, un gonze dans ton genre, qui s'est planté. Dix morts. Alors moi, je vais pas attendre que ça arrive. Je préfère me contenter d'un cadavre tout de suite... Le tien.

Le chauffeur sombra dans une telle morosité qu'il en jeta même par la fenêtre le mégot qu'il s'était ingénié à tenir de sa main plâtrée. Alors, l'étudiant pâlichon regagna sa place, veillant à bien écraser la main de l'un des joueurs de cartes au passage. Celui-ci attendit sans broncher que l'étudiant daigne effectuer le pas suivant. Une fois qu'il eut stationné quelque temps sur cette main, le jeune homme regagna sa place et s'assit sur les genoux de la mère Maria, laquelle lâcha, après réflexion :

— Ils sont comme ça, fiston. C'est invivable, les péquenots, pour un étudiant comme il faut. Tu es bien installé ? Ah, Dieu merci !

24

— Natalya… (Constantin Tanase tournait et retournait son attestation professionnelle entre ses mains.) Natalya, répéta-t-il dans le combiné.

— Ah, c'est toi, répondit la jeune femme avec indifférence.

Tanase se tut quelques instants, puis se lança :

— Alors comme ça, tu me quittes ?

— Constantin… (Cette apostrophe suffit à heurter l'oreille de Tanase.) Qu'est-ce que tu racontes comme ineptie ? Vu que je n'ai jamais vécu avec toi, je ne vois pas comment je pourrais rester ou te quitter.

— On ne va plus se voir ?

— Mais comment je le saurais ? Si ça se trouve, j'aurai envie et je t'appellerai. Le truc, ajouta-t-elle en pouffant de rire, c'est de ne surtout pas t'alarmer, mon chou.

— Pourquoi ? s'enquit-il, perplexe.

— À ton âge, ça peut être mauvais, s'esclaffa-t-elle derechef. La tension, les nerfs, les migraines, la cellulite…

— Qu'est-ce que la cellulite vient faire là-dedans ? Est-ce que je peux en avoir, seulement ? Je suis un homme tout de même !

— C'était une image. (Au ton de sa voix, Constantin

comprit que tout espoir était perdu.) Une image. Ce que tu peux être chipoteur !

— Natalya, fit-il, ayant rassemblé tout son courage, je veux que tu deviennes mon épouse. Je suis prêt à abandonner femme et enfants pour vivre avec toi. Une fois qu'on sera passés à la mairie, cela va de soi. Si tu veux, je t'organiserai un grand mariage.

— Non, je n'en ai aucune envie.

Ce qui était la pure vérité.

— Natalya, on ne parle pas de ce genre de choses au téléphone, mais tant pis, je m'y risque, parce que je pars bientôt en voyage d'affaires, s'empressa d'ajouter Tanase, redoutant de la voir raccrocher. J'ai une bonne situation, des relations, de l'argent. Si tu veux tout savoir, je suis directeur du Service d'information et de sécurité.

— Mais qu'est-ce que tu veux que ça me fasse ? De toute manière, j'y comprends rien, aux ordinateurs.

— Mais pourquoi parles-tu d'ordinateurs ?!

— Ben, c'est toi qui viens de me parler d'information...

— Oh mon Dieu, Natalya, tu ne sais donc pas ce qu'est le Service d'information et de sécurité ? Vraiment ? Et notre président, tu connais son nom ? Je parie que tu ne lis pas les journaux, je me trompe ?

— Non, tu as raison, c'est sans intérêt.

Tanase poussa un gémissement et se retint à la table de sa main libre. Il comprenait qu'il aurait mieux fait de raccrocher, mais on aurait dit que cette main, cette oreille, cette tête, bref son être tout entier ne lui appartenaient pas. Et qui fallait-il blâmer ? Il n'y avait pas de coupable. Il s'était amouraché d'une jeunesse, et il ne trouvait rien

VLADIMIR LORTCHENKOV

de mieux que de faire le gâteux, en poète à deux balles et vieil imbécile qu'il était... Bordel!

— Natalya, reprit-il d'une voix traînante, tu as quelqu'un d'autre?

— J'ai toujours quelqu'un d'autre, lâcha-t-elle avec une froideur extrême. Tu as terminé?

— Le Service d'information et de sécurité, c'est comme le KGB, Natalya. Écoute, je sais que tu as quelqu'un.

— Quoi? Tu m'as mise sur écoute? s'enquit-elle d'un air dégoûté.

— Non! s'empressa-t-il de mentir. C'est des connaissances à moi qui vous ont vus, ce jeune homme et toi. Natalya...

— Tu as terminé?

— Non, écoute encore...

Comprenant qu'il parlait dans un combiné dont ne provenait plus qu'une tonalité morne, Tanase déplia ses jambes tremblantes et se redressa. Il fallait se reprendre en mains, songea-t-il. Considérer la réalité sous un angle humoristique. De fait, qu'avait-il escompté? Avec un ricanement amer, il essuya son front en sueur et avala quelques gouttes de valériane. Il devait se calmer. Dans une heure, il était attendu à la réunion de la commission parlementaire de Moldavie pour la lutte contre le terrorisme.

La mère Maria et son maïs bouilli s'étaient installés au pied d'un haut bâtiment aux vitres teintées. La vieille ne se doutait pas le moins du monde qu'il s'agissait du palais présidentiel, et que l'immeuble blanc de l'autre côté de la rue n'était autre que le parlement. Elle n'avait tout bonnement pas réussi à s'établir au marché, qu'on avait fermé pour deux jours afin de le désinfecter.

— Maïs, maïs! criait Maria d'un air de défi, tout en adressant de malicieuses œillades aux passants.

Ses genoux, engourdis par l'étudiant en colère, la faisaient un peu souffrir, mais la vieille n'en concevait nul désarroi. Pendant la dernière heure de trajet, elle avait à ce point apitoyé le gaillard que ce dernier l'avait même aidée à traîner son chargement jusqu'au marché, et quand il était apparu que celui-ci était fermé, il l'avait conduite ici.

— C'est l'endroit le plus animé, lui avait-il déclaré avec un clin d'œil. Installez-vous!

Pour lui manifester sa reconnaissance, la vieille, qui avait pris soin d'examiner d'abord les alentours, donna à l'étudiant un morceau de fromage de brebis qu'elle dissimulait sous sa ceinture. Le jeune homme eut beau essayer de refuser, il dut accepter le cadeau.

— Prends, prends, fiston, insistait Maria. Tu n'es pas près d'en retrouver un morceau pareil.

L'étudiant éclata de rire sans qu'elle comprenne pourquoi et, s'étant emparé du fromage, il promit qu'il ne manquerait pas d'aller visiter la mère Maria à Starye Ploiesti.

— Maïs, maïs! s'égosillait-elle en agitant la main à l'adresse des passants.

La plupart étaient si stupéfaits qu'ils achetaient la marchandise de la mémère. Son maïs était effectivement délicieux, ayant d'abord été cuit dans une eau additionnée de sel, puis frotté au gros sel brut. Les grains rebondis des épis jetaient sur les passants le même regard accueillant que la mère Maria, et l'on aurait dit qu'ils les adjuraient : « Achète-nous, achète, achète! » Le seau que la vieille femme avait enveloppé d'une couverture ouatinée pour la route fumait encore. Dommage qu'elle n'ait pas pensé à emporter des graines de tournesol, songea-t-elle en crachant de dépit sur l'asphalte. Femme de mœurs saines et propres, elle ne se le serait jamais permis si une bonne trentaine de mètres ne l'avait séparée de la poubelle : Maria craignait de n'avoir pas le temps de rattraper un éventuel voleur en s'y rendant. Car elle était certaine qu'un voleur ferait son apparition à l'instant même où elle s'éloignerait de son maïs. De nombreux citadins, elle le savait, seraient trop heureux de se gaver à l'œil. Aussi n'était-elle pas ici pour bayer aux corneilles. Maria trônait donc sur le trottoir, vivante incarnation des charmes pastoraux, sous les fenêtres du palais présidentiel, en plein cœur de la jungle asphaltée.

— Qu'est-ce que tu vends donc ? lui demanda, sans masquer son dégoût, un type râblé vêtu d'un élégant costume.

Et de la pointe d'un soulier de prix, il déplaça le seau de Maria.

— Du maïs ! gueula-t-elle en guise de réponse. Prends-en, fiston, il est tout frais.

— Du maïs, répéta Constantin Tanase avec répulsion.

— Regarde, fils. (Maria avait plongé les mains dans son seau.) Il est géant, mon maïs. Et tu l'auras pour presque rien ! Reluque-moi ces gros épis !

— Gros... (Tanase en cracha de répugnance.) Gros... Maïs...

— Oh, ne t'inquiète pas pour ça. (Maria se hâta d'essuyer ses mains à sa robe, ce qui ne fit que les souiller davantage.) Tout est propre, chez moi. Comme qui dirait stérile, même.

— Et tu sais où tu es assise, vieille folle ? s'enquit Constantin dans un chuchotement plein de hargne. Tu sais qui je suis ? Même si tu avais été en possession de cent autorisations de vente, dont tu ne possèdes pas le début d'une seule, tu ne serais pas restée une seconde à cet endroit, si les glandus censés monter la garde n'étaient pas en train de pioncer !

— Oh, je suis au courant de rien, se mit à bafouiller la vieille. J'ai rien vu, je suis devenue complètement aveugle, et je vends rien du tout, c'est pour faire plaisir aux gens. Je me suis dit que je pourrais apporter du maïs et en distribuer aux passants en guise de commémoration, parce que mon compère a trépassé ; et puis je t'entends mal, fiston, j'ai les oreilles qui veulent plus fonctionner, allons, pourquoi que tu restes cloué sur place, prends ça, vas-y, oh, que mes péchés sont lourds…

Au bout de cinq minutes, Tanase finit par comprendre à son grand étonnement que la vieille, qui le prenait de toute évidence pour un maître chanteur, lui avait fourré un billet crasseux de vingt lei dans sa poche de poitrine et le poussait pour qu'il s'en aille. Il fallut encore une ou deux minutes au directeur du SIS pour imposer le calme à sa paupière gauche qui clignait malgré lui.

— La vioque, siffla-t-il en revenant à la charge, tu n'as même pas idée de quels périls ta stupidité t'a préservée. Dégage d'ici ! Et plus vite que ça !

La mère Maria écarta les mains en signe de résignation chagrinée – juste pour la galerie, car elle avait en fait écoulé presque la totalité de son maïs. Elle secoua la tête d'un air triste et, tout en adoptant exprès un trottinement de petite vieille (comment parvenait-elle à ce résultat, alors qu'elle était déjà une vieillarde elle-même, Constantin ne parvenait à le comprendre), elle empoigna son seau. Il l'observait d'un œil mauvais, sentant sur lui les regards goguenards des vigiles du palais. Tout à coup, le couvercle du seau s'envola et les quatre derniers épis roulèrent sur le sol. Tanase faillit vomir. *Y a peu de chances que je remange du maïs un jour*, se dit-il, étreint d'une pitié sauvage envers lui-même. *Vraiment peu de chances...* Sans se presser, la vieille ramassa son maïs et se retourna, nourrissant la pensée sournoise que, Constantin parti, elle pourrait retrouver son emplacement de vente.

Soudain, accompagné de sa garde et de son service de presse, le président sortit du palais. Blêmissant, Tanase décida de prendre sa retraite sur-le-champ. Profitant de cette splendide occasion d'adopter une posture avantageuse devant les photographes, le président, qui avait récemment suivi des cours de marketing aux États-Unis (à l'invitation de Coca-Cola), s'approcha de la vieille, un sourire guilleret aux lèvres, et lui demanda :

— Combien tu le vends, ton maïs, grand-mère ?

— Pas cher, fiston, répondit celle-ci, qui donna un prix trois fois plus élevé que d'ordinaire, tout en essuyant discrètement un épi. Prends, il est délicieux !

— Et pourquoi pas ? s'exclama le président dont le sourire s'élargit encore.

Il tendit la main vers un épi, mais faute de voir son argent, l'ingénue vieillarde fit barrage de son corps. *Il est fort douteux que la vieille ait jamais vu le moindre match de rugby, mais elle réussit là un bloc défensif de premier ordre*, remarqua tristement Tanase à part soi.

— Ah, mais bien sûr! s'écria le présidônt, sans se départir de son sourire. Payez-la, ordonna-t-il avec un bref signe de tête à un membre de son escorte. J'ai oublié mon porte-monnaie chez moi, comme d'habitude.

La mine modeste, le chef du service de presse, qui souffrait régulièrement de l'étourderie de son chef, tira un billet de sa poche, une coupure neuve et crissante de cent lei.

— Hé, il croustille! Mon maïs, il fera pareil sous tes dents, fiston, déclara la vieille en prenant l'argent, avant de secouer la tête d'un air désapprobateur quand elle eut jeté un coup d'œil dessus. C'est un faux, fiston.

— Tout ce qu'il y a de plus vrai, au contraire, répliqua le président, toujours souriant. Simplement, grand-mère, tu n'en as encore jamais vu de pareils. C'est un nouveau billet de cent lei. On les a mis en circulation le mois dernier.

Pendant tout ce temps, le président n'avait cessé de se trémousser à côté de la bonne femme, tantôt lui faisant face, tantôt l'abordant de profil. Les appareils photo cliquetaient sans répit. À deux reprises, le président s'approcha tout près de la mère Maria, allant même jusqu'à lui poser une main sur l'épaule. Dans ces moments-là, le flash des appareils ne s'éteignait même plus. Tanase avait l'impression de cauchemarder.

— Eh ben, celui qui les a mis en circulation, il a qu'à les manger, maugréa la vieille entre ses dents. (Elle se voyait entourée d'une bande de margoulins en veston.) Et moi, je veux de l'argent normal, humain quoi!

Hilare, le président balaya son public des yeux. Tanase s'approcha et le prit par le coude avec déférence.

— Votre Haute Excellence, chuchota-t-il. Prenez ce billet de moindre valeur.

— Merci, Tanase, répondit le président, les babines retroussées. Mais faites-vous discret.

— Ainsi que le veut notre profession, monsieur le président. Nous nous efforçons d'agir avec le moins de bruit possible.

Le président manifesta son approbation d'un sourire, puis il tendit vingt lei à la mère Maria. Laquelle jeta un regard plein d'une haine muette à l'adresse de Tanase. Il s'agissait en effet des vingt lei avec lesquels elle avait tenté d'acheter cet homme étrange, et qu'elle avait oublié de récupérer quand il lui avait interdit de continuer à tenir boutique à cet endroit.

Le président prit le seau des mains de la vieille qui s'était figée, en sortit les derniers épis, enlaça encore une fois leur propriétaire (obligeant les photographes à se remettre à l'ouvrage) et grimaça un sourire tellement large qu'il dévoila jusqu'à ses dents de sagesse. L'affliction de la mère Maria était si profonde qu'elle en avait perdu l'usage de la parole.

— Le voici, notre peuple, candide, généreux, humain ! affirmait le président au micro des journalistes.

Et la tête de l'État de mordre dans un épi, exprimant son bonheur, enlaçant la vieille et livrant ses commentaires à la presse, tout cela simultanément. Tanase jugea dans un soupir qu'il était temps pour lui de s'en aller pratiquer le marketing aux *States*, quand il entendit le chuchotement enthousiaste de l'un des journalistes :

— Il n'a fallu que ça pour le transformer en homme politique valable – l'installer pendant trois semaines derrière le comptoir d'un relais routier, au fin fond du Connecticut. Non, mais regardez comme ce stage d'été l'a métamorphosé !

Bon sang, cela commençait à faire désordre : on n'ébruitait pas ainsi les cours suivis aux *States* par le président ! Tanase jeta sur la foule un regard furibond et intima le silence à l'assistance. Les conversations se turent aussitôt. Mais s'étant retourné vers le président et sa vieille, Constantin se pétrifia.

— Prenez donc un peu de maïs, Tanase. (Le président lui tendait un épi avec la plus grande cordialité.) Après tout, on l'a acheté sur vos deniers.

25

— Bonjour, notre bienfaiteur, lancèrent gaiement les mendiantes de la cathédrale à Petrescu.

Avec un sourire chaleureux, le lieutenant leur adressa un signe de la main et pressa le pas. L'étrange affection des indigents décontenançait Sergueï, et puis il devait se hâter : un nouveau pépin était survenu hier dans son commissariat. Une fillette de douze ans avait été tuée et ses supérieurs exigeaient que l'on débusque les coupables au plus vite. Petrescu l'aurait fait même sans les semonces venues d'en haut : il aimait les enfants, pas ceux qui tuaient les enfants. En somme, Petrescu était tel qu'il se le figurait fièrement en secret : un gars bien qui s'apprêtait à traquer des méchants. D'autant qu'il pensait déjà savoir qui étaient les auteurs du crime. Il soupçonnait deux jouvenceaux majeurs, vivant dans le même immeuble que la fillette, qui faisaient usage de stupéfiants et se trouvaient toujours à court d'argent. Pour couronner le tout, ils n'avaient aucun alibi pour le jour du meurtre…

— Il s'en va, notre bienfaiteur, marmonna le clochard Grigori en suivant le lieutenant du regard. Il trace son chemin, il avance, pourtant il ignore sans doute que nous mangeons et buvons grâce à lui.

— Il nous nourrit plutôt mal, grommela un vieillard spécialisé dans les canettes de bière. On nous a donné que cent lei pour notre dernier rapport. Comment tu veux rassasier le peuple avec une somme aussi ridicule ?

Muntianu jeta un regard affectueux à Théodore (tel était le nom du vieillard) et sourit. Il sentait que ces gens – les pauvres, les prostituées, les clochards – lui étaient devenus plus proches que quiconque sur cette terre. Car ici, devant la cathédrale, l'agent de la sécurité d'État Muntianu avait enfin trouvé ce qu'il avait cherché en vain durant son existence d'homme comme il faut, aussi bien dans le lit des honnêtes femmes, dans le bureau de ses collègues, les amphithéâtres universitaires ou les bibliothèques. Il avait trouvé ici de la compréhension ainsi qu'un amour désintéressé pour son prochain. Il ne pouvait en aller autrement, car l'homme ne possédait en ce lieu nulle autre valeur que la sienne propre. Par voie de conséquence, qu'on l'aime tel qu'il était ou qu'on le déteste, bref, quels que soient les sentiments qu'on éprouve à son égard, ils s'adressaient à lui et non à ses oripeaux, ses attributs ou son image. À l'instant où il formula cette pensée pour lui-même, Muntianu faillit verser une larme.

— À qui la faute, pépé, demanda-t-il à Théodore, si notre dernier rapport était aussi ennuyeux ?

— À toi, répliqua l'indigent en haussant les épaules. C'est bien toi qui as été chargé de surveiller Petrescu, non ?

— Ne vous querellez pas, leur enjoignit Grigori. On ferait mieux d'aller se poser sur un banc pour boire un peu de ce délicieux nectar, et rédiger un nouveau rapport qui nous vaudra un tas de fric de la part des chefs de Muntianu.

— Et nous permettra d'acheter un tas de bonne nourriture et des litres de bibine, s'emballa Muntianu. Allons-y !

Aussitôt dit, aussitôt fait, et les hommes burent à tour de rôle dans une boîte en fer-blanc le vin que Grigori versait d'une bouteille en plastique. Il s'agissait d'un breuvage de son invention, et plus d'une fois Grigori avait affirmé avec fierté que la postérité reconnaîtrait un jour – dans longtemps – l'étendue de ses mérites.

— Je veux donner à ce vin-là un joli prénom féminin plein de poésie, déclarait-il crânement, le petit doigt levé. Par exemple, Anna-Rosa-Maria ou bien Margarita-Bella-Dulcinée. Je veux que mon vin soit encensé par les poètes.

— Il est trop corsé pour les poètes, objectait Théodore, qui en avala une gorgée à même la boîte de conserve.

— N'importe quoi ! protestait Grigori en balayant l'observation du revers de la main. S'il y a quelqu'un qui connaît les qualités de mon remarquable vin, c'est bien moi. Et le monument qu'on me dressera, il sera pas en argent, non, il sera en or, parce que je ne suis pas seulement l'inventeur d'un nouveau grand vin, je suis le concepteur d'une approche radicalement nouvelle dans la création de nouvelles sortes de vin. Le plus beau dans tout ça, c'est que cette approche n'exige aucun effort particulier, elle est même si simple qu'un enfant de dix ans pourrait la comprendre.

La nouvelle approche en question, censée permettre de créer des vins inhabituels, était ainsi conçue : à tous les repas de noces et de funérailles où les mendiants de l'église étaient autorisés à venir manger (la coutume existait en Moldavie depuis des temps immémoriaux) et partager la joie ou la peine des invités, Grigori vidait peu à peu le vin de toutes les bouteilles dans un unique réceptacle. Cahors, Cabernet, Chardonnay, Sauvignon, Lidia… il n'en écartait que deux sortes : le Bouquet de Moldavie et le Moine noir.

— Le Bouquet de Moldavie, expliquait-il, c'est bon pour les touristes et les Russes. Un petit alcool de raisin sucré, voilà ce que c'est. De la boisson d'imbéciles. Quant au Moine noir, c'est rien d'autre qu'un non-sens. On a fabriqué une jolie bouteille, on l'a remplie avec des fonds de tonneau, et on a appelé ça du vin.

— Tu es un grand inventeur, le félicita Muntianu quand il goûta son vin pour la première fois. Néanmoins, je vais devoir te faire de la peine.

— Mon vin n'est pas bon ?

— Il est remarquable. Je parle pas de lui, mais de ta méthode. D'autres l'avaient déjà conçue avant toi.

— Qui ? s'exclama Grigori en portant une main à son cœur.

— Un vagabond américain, du nom de Mac. L'écrivain américain Steinbeck en a même parlé dans un livre.

— T'es sûr ? insista Grigori, avec un regard soupçonneux à l'adresse de Muntianu.

— Hélas ! (L'agent de la sécurité d'État écarta les bras, après avoir eu la prudence d'engloutir son verre au préalable.) Tel que tu me vois, je l'ai lu, ce livre.

— Eh ben alors, raconte en détail ce que ça dit là-dessus.

— Donc, ce vagabond, Mac, il se faisait quelques sous dans un bar, et il vidait les cocktails et les boissons inachevés par les clients dans une grosse bonbonne. Whiskey, bière, vodka, liqueurs…

— Ah ! s'exclama triomphalement Grigori. Moi, dans mon excellent vin, je n'ajoute ni vodka, ni liqueur, ni cocktail. Ce qui prouve que j'ai pas plagié sa méthode pour fabriquer une nouvelle boisson.

— Au fond, admit Muntianu, tu as raison. Mais Mac, le vagabond américain, est aussi balèze que toi.

— Sans contredit !

Grigori, le clochard moldave, leva sa conserve remplie de vin à la santé des vagabonds et des écrivains américains.

— Buvons à lui et à ce Steinbeck.

— Il arrive parfois qu'une grande idée traverse l'esprit de deux personnes en même temps, raisonna Théodore en allumant un mégot. J'ai entendu des exemples de ce genre.

— Oui, convint Muntianu. Moi aussi, je l'ai entendu dire. À ce qu'il paraît, c'est ce qui s'est passé avec l'invention du téléphone, de l'ampoule électrique et de la radio.

— De façon générale, reprit Grigori, j'ai l'impression que les grandes idées visitent les têtes de toutes les personnes de valeur en même temps. Simplement, ces personnes de valeur sont si nobles qu'elles ne se soucient guère d'en faire étalage, afin de donner à autrui la possibilité de se distinguer. Je me rappelle à présent qu'il y a une trentaine d'années, une idée m'avait frappé : pourquoi ne pas fabriquer des humains à partir d'autres cellules humaines ? Mais j'ai lambiné, et qu'est-ce qui s'est passé ? Un généticien a tiré la couverture à lui et s'est vu décerner un prix pour la découverte du clonage !

— À propos de prix, faudrait qu'on se mette à rédiger notre prochain rapport.

Copieusement imbibés, les trois amis quittèrent le banc pour gagner la pelouse, où ils s'allongèrent. Théodore sortit un petit bout de crayon, et Muntianu une feuille toute chiffonnée. Le major Édouard s'était insurgé contre l'habitude qu'avait prise Muntianu de lui envoyer ses comptes-rendus sur des morceaux de papier crasseux et froissés, griffonnés n'importe comment, au crayon qui plus était, mais Muntianu avait réussi à faire admettre son point de vue à son chef.

— Si je dois passer pour un clochard, avait-il répliqué au major, mes rapports doivent être rédigés en conséquence.

Édouard en ayant convenu, Muntianu et ses amis purent entreprendre la rédaction de leur nouveau rapport.

— Où va-t-on le faire aller ce matin ?

— Vous allez où, vous, le matin ? chantonna Théodore, à présent de belle humeur.

— Arrête, le rabroua Grigori. On s'occupe d'un truc sérieux, là. On est en train de sauver le lieutenant Petrescu et la patrie.

— Tout à fait, renchérit Muntianu. C'est un problème très complexe. En général, personne n'arrive à faire coïncider ces deux choses que sont le sauvetage d'un homme et celui de la patrie.

— OK, abdiqua Théodore. Vous m'avez convaincu. Pour ce matin, on n'a qu'à mener notre lieutenant jusqu'à l'arc de la Victoire, près de la Maison du Gouvernement, et l'y planter quelques minutes.

— Tout seul ?

— Non, avec une dame. Cela dit, ajouta Grigori en plissant les yeux, elle ne me plaît pas, cette dame, oh non, elle ne me plaît pas du tout. Avec sa robe noire qui lui descend jusqu'aux pieds…

— Bien trop osseuse pour être la copine de Petrescu, ajouta Muntianu.

— Et pas assez jeune ! renchérit Théodore.

— Aïe, aïe, aïe, approuva Muntianu en hochant la tête. Qu'est-ce qu'elle était bizarre, la femme à côté du lieutenant, ce matin, quand il s'est rendu à l'arc de la Victoire ! Voilà, c'est ce qu'on va écrire…

— Naturellement, elle tenait un parapluie.

— Qu'est-ce que tu racontes ? s'insurgea Théodore. Y a pas un seul nuage dans le ciel…

— Oui, justement, c'est pour ça que c'est suspect. Très suspect, même. Pourquoi aurait-elle besoin d'un parapluie par un temps pareil ?

— Tu as peut-être raison, concéda Muntianu d'un air pensif. Un parapluie, et d'une drôle de couleur lilas, avec en plus de petits ronds jaunes sur les bords.

— Et une lanière cassée au niveau du manche !

— Exact. Donc, ils sont restés plantés quelques minutes devant l'Arc, et Petrescu s'est montré très agité. Tout en lui trahissait l'inquiétude.

— Une inquiétude affreuse, ajouta Grigori en pinçant les lèvres. Il avait même les mains qui tremblaient un peu.

— Oui, mais ça ne l'empêchait pas d'essayer de garder une contenance vaillante.

— Alors voilà, un taxi s'approche de l'arc de la Victoire, une voiture de tourisme jaune fluo de marque Nissan. Le chauffeur, un petit costaud, un Arménien à en juger par son apparence, sort de son véhicule et ouvre la portière à la dame.

— Petrescu en soupire de soulagement !

— Tout à fait. Après s'être retournée vers le lieutenant, la dame lui envoie un baiser aérien et Petrescu sourit malgré lui. Tout en accompagnant du regard le taxi qui s'éloigne, le lieutenant se signe à la dérobée et quitte l'ombre de l'Arc. Malgré la fraîcheur de la matinée, le front de Petrescu est couvert de gouttelettes de sueur.

— Il s'essuie avec la manche de sa tunique! Puis s'éloigne bientôt à travers le parc, sans même s'arrêter pour acheter son chawarma, comme il le fait normalement tous les matins et tous les soirs.

— Non, les interrompit Muntianu. On va justement lui faire marquer un arrêt au kiosque.

— Mais pourquoi donc? demanda Théodore. Il me semble qu'on a tiré de lui tout ce qu'il nous fallait dans ce parc. On a réussi à faire naître suffisamment de soupçons, à mon avis. Il a qu'à continuer sa route et on va lui imaginer d'autres aventures.

Sans perdre son calme, l'agent Muntianu expliqua alors les rudiments de son métier à ses amis clochards.

— Il ne se passera rien de suspect au kiosque. Le truc, c'est que si Petrescu ne s'y arrête pas, ça va susciter de la méfiance chez mes supérieurs, vu qu'il y fait halte tous les matins, en temps normal.

— Justement, on veut qu'il ait l'air suspect, protesta Grigori.

— Sans lui créer le moindre ennui pour autant, ajouta Théodore.

— On peut imaginer un homme, la vie d'un homme, un jour de la vie d'un homme, on peut imaginer sa façon de penser, on peut lui inventer des convictions et le convaincre qu'il en est convaincu, développa Muntianu. Mais, mes amis, il ne faut jamais au grand jamais lui inventer des habitudes! Chacun s'invente ses propres habitudes tout seul. Et le SIS le sait. Que Dieu nous garde d'être jamais tentés par des habitudes!

— Bon, alors, Petrescu s'arrête devant le kiosque, admit Grigori à contrecœur, et il s'empresse d'acheter un chawarma.

— Petrescu s'est arrêté devant le kiosque avec le même plaisir que d'habitude, rectifia l'agent secret en lançant un regard réprobateur à son ami. Il y a admiré le travail des cuisiniers, respiré longuement le fumet de la viande rôtie, échangé deux plaisanteries avec le grand Arabe qui découpe les légumes, acheté deux chawarmas, puis il a descendu l'avenue.

— Exactement comme dans la réalité, répliqua Théodore, que ce scénario ne satisfaisait toujours pas. Mais c'est ennuyeux.

— Ce n'est pas grave, le réconforta Muntianu. On peut imaginer maintenant le lieutenant Petrescu au travail, et on glissera alors quelque chose d'amusant et d'incroyablement fantastique dans notre compte-rendu.

— Mais quand est-ce qu'on va enfin confronter Petrescu à un agent célèbre ? se mit à chipoter Grigori. James Bond, par exemple.

— Hélas ! (Muntianu écarta les mains.) James Bond est un personnage de fiction. Il a été inventé. Comment pourrait-on lui faire croiser le lieutenant Petrescu ?

— Mais le lieutenant Petrescu de nos rapports n'est pas non plus celui qui est passé devant l'église, c'est un personnage inventé, lui aussi !

— C'est vrai, renchérit Théodore. Pourquoi on n'organiserait pas une rencontre entre le lieutenant Petrescu fictif et le fictif James Bond, alors ?

Muntianu se mit à réfléchir, puis donna son approbation. Ils tombèrent d'accord pour que la rencontre entre

Petrescu et l'agent James Bond ait lieu une semaine plus tard. Les amis escomptaient tirer de beaux honoraires de ce compte-rendu là.

— Pourquoi vous vous êtes installés ici ? s'enquit Léna la prostituée en s'approchant d'eux.

— On rédige notre rapport sur Petrescu, répondit Grigori, dont le regard glissa le long de ses jolies jambes. Mais vu que nous ne sommes pas dépourvus de talent littéraire, sache, ma jeune beauté, que ce rapport est en fait un vrai chef-d'œuvre. Il y aura de tout, là-dedans, des coups de feu, des courses-poursuites, des inconnus qui se rencontrent sur un pont retenant avec peine un nuage humide et glacé qui s'effiloche… Nos notes se liront avec le même intérêt qu'un roman policier palpitant. Voilà ce qui arrive aux rapports de routine quand ce sont de vrais hommes qui s'en occupent…

Léna la prostituée sourit, s'accroupit, et sa minijupe se retroussa au point de lui dénuder presque entièrement les hanches.

— Et bien entendu, vous avez omis l'amour ?

26

Léna était une femme de trente-cinq au corps solide et harmonieux, qui vendait ses charmes à la gare de chemins de fer. Quand les clients l'apercevaient de dos, ils étaient d'abord très enthousiastes, mais leur ardeur se calmait quelque peu lorsqu'ils entrevoyaient le visage de Léna, défiguré par deux cicatrices sur la joue gauche. À quoi il fallait ajouter des traits tirés. Muntianu ne s'en émouvait pas, présumant de façon tout à fait sensée que la beauté était un phénomène transitoire. Aussi l'agent de la sécurité d'État était-il tombé amoureux de la prostituée. Hélas, pour l'instant, la belle ne s'était laissé enlacer qu'un nombre de fois limité, et ne lui avait accordé qu'un timide baiser sur la joue.

— Mais enfin, à la gare, tu te donnes à des gens que tu vois pour la première et la dernière fois ! s'insurgea un jour Muntianu, au désespoir. Et moi, j'ai pas le droit de coucher avec toi !

— S'il y a vraiment des sentiments entre nous, répliqua Léna en se redressant, on ne doit pas se presser. Allons plutôt nous promener.

Alors, bras dessus bras dessous, les amoureux s'en furent baguenauder sur l'avenue Étienne-le-Grand. La statue du

grand roi de Moldavie suivait leurs déambulations avec
des hochements de tête approbateurs, et il lui arrivait
parfois d'adresser des œillades à Muntianu, qui aurait
même juré avoir vu le pourpoint d'Étienne se hérisser
légèrement – au niveau des parties. Ce jour-là, Léna avait
passé sa plus belle robe, qui était aussi la plus courte.
Muntianu, particulièrement excité, partageait sans réserve
les sentiments de la statue. Pour leur rendez-vous, il avait
offert à Léna un œillet et des roses dérobés au pied du
monument érigé à la gloire de Tolstoï.

— Comme c'est charmant! s'était-elle exclamée en
approchant les fleurs de ses lèvres charnues qu'étirait un
sourire rêveur. Tu es si gentil !

Le cœur serré, Muntianu se fit la réflexion que si, d'ici
un mois ou deux, cette femme ne le prenait pas en pitié, il
finirait par devenir fou. En même temps, l'agent comprenait que le comportement de Léna se conformait à celui de
n'importe quelle jeune fille dans une situation semblable.

— Elle a besoin de s'assurer de tes sentiments, renché-
rissait Grigori quand les deux amis, assis sur les marches
de la cathédrale, méditaient sur certaines spécificités de la
logique et du comportement féminins.

— Mais enfin, elle voit pas que je l'aime? gémissait
Muntianu.

— Tu dois t'affermir toi-même dans tes sentiments,
répliquait Grigori en levant un index sentencieux.

— J'en ai pas besoin, voyons, je sais déjà tout ce qu'elle
signifie pour moi, reprenait Muntianu, qui ne connaissait
pourtant Léna que depuis deux semaines.

— Non, rétorquait Grigori. Tu peux avoir l'impression de l'aimer avec adoration, alors que si ça se trouve,

ton amour se révélera n'avoir été qu'une illusion charnelle, dès l'instant où vous aurez couché ensemble. Un envoûtement du corps et rien de plus. Et dans ce cas, elle ne sera pas la seule à avoir été trompée, toi aussi, tu l'auras été !

Ayant péniblement accepté les conclusions de Grigori, Muntianu s'efforçait de ne pas manifester l'impatience qui s'emparait de lui chaque fois qu'il voyait le corps sublime de Léna. Il se mit même à dormir sur le seuil du logis de la jeune femme, une guérite en bois que les maçons chargés de la reconstruction de la cathédrale avaient abandonnée dans le parc après leur départ. Il attendait patiemment que Léna ait servi un énième client dans les toilettes de la gare, la réconfortait quand elle s'était fait tabasser par des hommes ivres et lui rapportait le meilleur de ce qu'il avait pu quémander à une noce ou un repas de funérailles. Il aurait été mensonger d'affirmer que Léna n'appréciait pas ces marques d'attention, mais elle n'en recevait pas moins les présents et les amabilités de Muntianu avec circonspection, pensant de toute évidence que cet homme n'en avait qu'après son corps. Et pour l'heure, Muntianu n'avait toujours pas réussi à briser l'entêtement de Léna.

27

— D'accord, acquiesça Tanase en parcourant le rapport de l'agent affecté à la surveillance de Petrescu. D'accord. Impeccable. Te voilà fait, mon coco! On va pas tarder à te coffrer.

Depuis que le directeur du SIS avait entendu l'enregistrement de la conversation (et bien pire, se rappelait-il avec un pincement au cœur) entre son ancienne maîtresse Natalya et le lieutenant Petrescu, son âme était habitée par une rage froide. Naturellement, Tanase ne se cachait pas que son antipathie à l'égard du malheureux Petrescu avait pour cause un motif d'ordre privé, mais les choses s'agençaient au poil, puisque le lieutenant était par-dessus le marché un complice des terroristes...

Car Tanase ne doutait pas un instant que Petrescu fût lié d'une manière ou d'une autre à la clandestinité terroriste. Il y avait trop de coïncidences. Les rencontres quotidiennes de Petrescu avec Oussama ben Laden, par exemple... À ce propos, si le chef du SIS n'avait pas affecté d'agents opérationnels à la surveillance d'Oussama, c'était qu'on avait rapidement établi que l'Afghan ne sortait jamais du kiosque où il éminçait les légumes pour ses chawarmas. L'annexe du local comportait un petit canapé qui servait

de lit à l'Afghan ; de temps à autre, la femme du propriétaire lui apportait des livres, mais il ne mettait jamais le nez
dehors. Et ainsi en était-il depuis un an et demi.

Vingt-cinq millions de dollars, chuchota Tanase, animé
d'une joyeuse excitation. *Pour la tête d'Oussama, plus une
décoration de la part du président, plus une décoration de la
part des États-Unis, plus une bonne presse et des échos flatteurs
à la télévision... Et puis aussi Natalya... Qu'elle comprenne
ce qu'elle a perdu et le genre d'enfoiré avec qui elle s'est aco-
quinée... Oui, Constantin, on dirait bien cette fois-ci que tu as
décroché le gros lot...*

Tanase songea sur ces entrefaites qu'il était indispensable de mieux rétribuer l'agent Muntianu : sans ménager
sa peine, ce dernier avait gagné la confiance des clochards
locaux et remplissait sa mission avec brio.

La mission qui lui a été confiée, rectifia Constantin en se
rengorgeant. *Ça sonne mieux et c'est plus exact.*

Le chef du contre-espionnage au niveau national s'était
personnellement attribué l'affaire Petrescu et l'affaire
Oussama ben Laden. C'était également lui en personne
qui surveillait Oussama, ayant ordonné qu'on installe une
longue-vue de dimensions imposantes dans son bureau.
Quand des invités ignorant tout de la situation pénétraient
dans son antre, Constantin invoquait une prétendue passion pour l'astronomie.

Un large sourire aux lèvres, Tanase acheva la lecture
de la note de Muntianu et la déchira avec la plus grande
minutie. Si le papier n'avait pas été aussi répugnant,
Constantin aurait même été jusqu'à l'avaler, conformément
à l'une des directives élaborées par ses soins. Ces dernières
lui inspiraient de façon générale la plus grande fierté,

et selon lui, on n'aurait pu trouver de services secrets au monde bénéficiant de directives aussi efficaces que le SIS. Ses subordonnés avaient commencé par ronchonner, mais ils s'étaient peu à peu habitués à devoir ingurgiter les documents confidentiels. Certains y avaient même pris goût : le département des chiffreurs comptait notamment un original, se rappela Constantin, un gars affirmant que le papier à cigarettes sentait le riz et était exquis si on y saupoudrait un soupçon de paprika. Tanase, pour sa part, préférait recourir à du poivre noir grossièrement moulu.

S'étant levé de son bureau, Constantin se dirigea vers un recoin de la pièce où la longue-vue masquait un portrait de Poutine, le président de la Russie. Le directeur du SIS s'inclinait devant la destinée de cet homme, espérant secrètement qu'il parviendrait tôt ou tard à suivre son exemple.

Tout est possible en ce bas monde, non ? s'interrogeait-il. *Si ça se trouve, moi aussi je deviendrai président un jour.*

Et il comprenait que c'était à présent plus que probable. Hormis lui, qui n'allait pas tarder à capturer le plus dangereux des terroristes, quelle autre personnalité était digne de tenir fermement entre ses mains viriles le gouvernail du bateau en train de couler que l'on appelait Moldavie ? Mais ce serait pour plus tard. Il avait encore du pain sur la planche en attendant.

Constantin épousseta le portrait et le replaça derrière la longue-vue. Puis, après quelques secondes de réflexion, il décida de le dissimuler ailleurs. Le directeur du SIS arpenta longuement son bureau, serrant la photographie de Poutine contre sa poitrine, jusqu'à ce qu'une illumination le frappe enfin. Le plafond ! Mais oui, le plafond, bien sûr…

Constantin grimpa sur une chaise et, s'étant muni du petit marteau médical et des clous fins (dont il usait en général pendant les interrogatoires) qui dormaient dans son tiroir, il cloua le portrait du président de la Russie au plafond. En conséquence de quoi, Poutine supervisait désormais tout le bureau de Tanase.

Une idée aussi chouette aujourd'hui, c'est bon signe, chuchota-t-il.

Après un clin d'œil à son collègue, il brancha le magnétophone. Le moment était venu de prendre connaissance de la dernière écoute du lieutenant Petrescu. Cette fois-ci, le matériel d'enregistrement avait été placé dans le bureau de Sergueï, si bien que Tanase n'avait pas à redouter la présence de Natalya sur la bande magnétique. Plissant les yeux comme de coutume, Constantin subit une chanson du groupe Les Invités du futur[1]. Puis l'enregistrement des écoutes démarra enfin.

— Écoutez, Lorinkov, vous êtes pourtant quelqu'un d'intelligent, disait Petrescu sur un ton réprobateur.

La voix du lieutenant trahissait une grande lassitude, remarqua Tanase avec plaisir.

— Mais qu'est-ce que je peux y faire ? grommela l'autre d'une voix rauque, où Constantin reconnut le timbre de Vladimir, le journaliste. C'est pas des hommes, c'est des animaux. Ils fument dans les toilettes, et dans la cuisine, pardonnez-moi, mais ils chient.

— Ce n'est toutefois pas une raison pour tabasser ces gens jusqu'à ce que leur cœur s'arrête de battre, l'exhortait mollement Petrescu.

1   Groupe de dance-pop russe, très populaire entre 1996 et 2009. (N.d.T.)

— Ah bon ? répliqua Lorinkov, alarmé. Son cœur s'est vraiment arrêté de battre ? On va me coller en taule ?

— Non, l'assura Petrescu. Pas pour cette fois. Je considère que la meilleure mesure à prendre afin de lutter contre le crime, c'est la prophylaxie. Vous devez néanmoins changer quelque chose dans votre mode de vie. Vous buvez trop, vos nerfs vous lâchent. Rien à dire, vos nerfs ne valent pas une broque.

— Ça, c'est sûr, admit Lorinkov avec amertume. À ce propos, lieutenant, ma voisine, celle qui est ballerine, m'a chargé une nouvelle fois de vous transmettre sa reconnaissance la plus vive.

— Oh, ce n'est rien, se défendit Petrescu. Revenons-en à nos moutons. Comprenez que ce quartier n'est pas fait pour vous. C'est un repaire de zonards et d'asociaux. Encore quelques mois et vous allez devenir comme eux.

— Lieutenant, permettez-moi dans ce cas de vous demander ce que vous fabriquez vous-même dans ce quartier ? Vous êtes un policier jeune et capable, issu d'une famille aisée, pour autant que je sache…

— Je sais que vous ne me croirez pas, tout comme les autres d'ailleurs, mais je suis persuadé que ma présence ici est utile.

— Pourquoi je ne vous croirais pas ? Moi, vous m'avez d'ores et déjà aidé, vous m'avez retrouvé mon chauffe-eau…

— Ça fait un bail qu'on a coupé l'eau dans votre immeuble, se souvint alors Petrescu.

— Oui, et donc ?

— J'aurais voulu vous convaincre de ne pas jeter les sacs en plastique contenant les résidus de votre activité organique par la fenêtre.

Il marqua une pause. Plié en deux, Tanase se tapait sur les cuisses en pleurant de rire.

— Excusez-moi, marmonna Lorinkov d'une voix mal assurée. Et si je comprends bien, ça ne servirait à rien que j'essaie de vous persuader qu'à la différence des autres habitants de mon immeuble, je ne procède pas ainsi ?

— C'est à vous de me pardonner. Bien sûr, que ça ne servirait à rien. Vu qu'un sachet plein de ces résidus en question est justement tombé de votre fenêtre pour atterrir pile sur le toit de notre véhicule de service.

— En l'homme cohabitent le sublime et le grotesque, lieutenant. On peut balancer de la merde en sac par sa fenêtre et n'en être pas moins un saint, quasi un ange.

— J'en doute, répliqua le pragmatique Petrescu d'un ton sec. J'en doute fortement.

Un frou-frou se fit entendre sur la bande. *Lorinkov grimpe sur une chaise*, devina Tanase.

— Qu'est-ce qui vous prend de vous percher sur une chaise ? s'enquit le lieutenant, confirmant ainsi la supposition de Constantin.

— Écoutez. Je vous en prie, écoutez-moi, lieutenant, le supplia Lorinkov avec fièvre.

Et soufflant bruyamment, il se mit à déclamer :

— J'ai été heureux avec vous
Une seule fois,
Me semble-t-il,
En Bulgarie. Ville de Baltchik,
Où les mouettes déchirent le poisson
De leurs serres recourbées
Sur les poutres moites de juvéniles
Passions,

Où les montagnes sont stratifiées
Comme du fromage,
Où la rakia vous enflamme.
J'ai été heureux avec vous
Une seule fois
Semble-t-il,
J'étais jeune et vous
Pas vieille.
Sur le rivage
Rendu gris par l'amour,
S'amassaient les bateaux disloqués.
J'étais votre Fitzgerald,
Et vous étiez ma folle.
J'étais Hemingway et Lorca,
Villon et en partie Hasek,
Dites-moi, n'est-ce pas étrange
Tout cela
Étant donné notre antagonisme ?
Car nous sommes tout ce qu'il y a d'opposé.
Car vous êtes le pire
Que j'aie jamais connu,
Quand minuit à l'hôtel de ville
De Baltchik
Sonna–carillonna–retentit,
Je draguais des Bulgares à tout-va,
Je m'amusais avec une serveuse.
À travers le goût réglissé
De l'encaustique,
Vous avez souri, comédienne.
Souvenez-vous du jour où les serpents
Se sont faufilés sur les rochers du littoral,

Ils tenaient entre leurs dents d'étranges
Poissons-prodige,
Leurs yeux étincelaient.
Je vous déteste et pourtant
J'ai été heureux
Avec vous,
Semble-t-il,
Sur cette jetée glissante et abandonnée,
Dans cette ville du littoral,
À Baltchik…

— Qu'est-ce qui vous prend? s'enquit le lieutenant. Vous vous sentez mal?

— Oui. Je suis toujours un peu inquiet quand je récite mes poèmes. Ces vers ont été publiés à Bucarest en 1996. Aux éditions Constiinta. Ils vous ont plu?

— Beaucoup, affirma Petrescu sans conviction. Mais descendez de cette chaise, s'il vous plaît.

— Ah, lieutenant, fit Lorinkov tout attendri, vous ne soupçonnez même pas les événements dont vous êtes l'épicentre. Vous êtes un agneau sacrificiel. Tout le monde vous a trahi. En vous regardant, j'ai l'impression d'être un Judas…

Tanase serra les poings. Ce satané bavard allait-il vendre la mèche? Par bonheur, Petrescu n'accorda aucun crédit aux propos de Lorinkov.

— Vous feriez mieux de rentrer chez vous et de dormir un peu, répliqua-t-il en raccompagnant Vladimir. Sinon, vous allez vous mettre à divaguer. Une dernière chose: abstenez-vous de brutaliser les habitants de votre immeuble, dacodac?

Le magnétophone se tut. Tanase tendit la main pour éteindre l'appareil, quand de nouveaux bruits se firent entendre. Il se mordit la langue. Son intuition ne l'avait pas trompé.

— Alors, c'est là que travaille mon lieutenant, mon homme, mon macho en uniforme, ronronna soudain la voix de Natalya sur la bande.

— Humm. Tu ne dois pas venir ici, lui chuchota Petrescu. C'est un commissariat de police, et c'est dégueulasse.

— Voilà donc où il sert son prochain, où il passe des nuits sans fermer l'œil, poursuivit Natalya, refusant de prêter attention à sa remarque. Voilà l'endroit où je vais maintenant me donner à lui...

— Tu es devenue folle ? Et puis, tu n'es pas du tout naturelle, là. Ça sonne vraiment faux.

À cet instant, Tanase en vint à éprouver de la sympathie pour le lieutenant, mais il était impossible de résister à Natalya, Constantin était bien placé pour le savoir.

— Moi ?

Natalya souriait, Tanase n'avait pas le moindre doute là-dessus, tout comme il savait aussi qu'au moment où elle parlait, elle se plaquait contre le dos de Petrescu.

— Moi, mon lieutenant... oh... je suis justement tout ce qu'il y a d'authentique. C'est toutes les autres qui sont artificielles. Que du faux, du toc. Et si nous ne sommes pas sincères, nous non plus, nous deviendrons des pantins...

— Comment cela ?

— Eh bien, nous nous mettrons à croire que tous les mensonges du genre un oreiller pour deux, les petits déjeuners, les conversations qui commencent par : « comment ça s'est passé au travail ? », « Dieu que mes cousins sont des trous du cul », et « on fait des enfants, ou on achète d'abord un canapé ? » sont la vraie vie. Viens, on ferait mieux de baiser à la place… lieutenant…

À en juger par les bruits, Petrescu était sur le point de céder. Le loquet de la porte de son bureau cliqueta. *Ils s'enferment*, comprit Tanase, débordant de haine.

— Donc… (La voix de Petrescu frémissait.) On ferait mieux de baiser.

— Tout à fait… Oui… Qu'est-ce qu'il est agaçant, ton nœud de cravate…

— Laisse, je m'en occupe.

— Bravo, lieutenant… Il commence à palpiter, mon gardien de l'ordre… comme ça… oh…

— Comment on fait pour dégrafer ce truc ?

— Remonte-le… oui… comme ça.

La respiration du lieutenant était devenue bruyante.

— On va devenir dingues, avec tes caprices.

— Non, lieutenant. Pas du tout. Aujourd'hui, on baise. On fait rien que baiser, en disant des gros mots dégueulasses. On va baiser hyper dégueulassement. D'accord, chéri ?

— Enlève ta jupe, chienne !

La cassette grésilla et l'enregistrement s'acheva. Tanase se leva en titubant.

Ayant pris appui sur le rebord de son bureau, comme il en avait l'habitude, et sans rien voir de ce qui l'entourait, il s'approcha d'un rideau dont il arracha le cordon. Dès qu'il eut fait un nœud coulant à l'une des extrémités, il grimpa sur son bureau.

28

— Mes frères, si nous sommes réunis aujourd'hui, c'est pour nous retrouver entre compatriotes et coreligionnaires. Saïd avait commencé la lecture de son discours sur un ton inspiré. Cet orateur, un Syrien maussade de haute taille, vivait à Chisinau depuis quatorze ans. Il était venu étudier à la faculté de médecine avec l'intention de retourner dans sa patrie une fois son diplôme en poche. Mais par la suite, en raison d'un événement assez tragique, il était resté en Moldavie.

— Ça s'est passé le matin même du bal de notre promotion, avait confié un Saïd au bord des larmes à un copain moldave. On se mélangeait tous, nous les étudiants de dernière année. Moldaves, Arabes, il y avait même deux Vietnamiens parmi nous. On ne se répartissait pas par nationalité, on était juste des médecins. On avait pas mal bu, ce qui, en soi, était déjà un péché pour le musulman que je suis. Et voilà qu'avant de boire un nouveau verre de vin, le collègue dont je partageais le pupitre depuis tant d'années dans les amphithéâtres m'a tendu un sandwich. Un morceau de pain avec un bout de viande dessus…

— C'était du porc? demanda le perspicace Moldave. Et tu ne t'en es pas aperçu, bien sûr…

— Bien sûr que si, je m'en suis aperçu, rectifia Saïd en écarquillant théâtralement les yeux. Mais on aurait dit qu'en cet instant, le sheitan s'était donné pour mission de m'égarer. J'ai décidé de prendre le sandwich, mais sans mordre dedans. Nous avons trinqué et soudain, une force s'est en quelque sorte emparée de moi, qui m'a obligé à croquer dans le sandwich.

— Tu t'es donc souillé au regard des lois de votre religion ?

— Eh bien… réfléchit Saïd. Comment t'expliquer ? Quand tu es entouré d'infidèles et que tu n'as pas d'autre issue, tu peux aller jusqu'à manger du porc. Donc, si toute cette histoire s'était terminée par une portion de sandwich, ça n'aurait pas été grave.

— Ben c'est quoi le problème, alors ?

— Tu comprends, répondit Saïd en baissant les yeux, j'ai réalisé que, de ma vie, je n'avais jamais rien mangé de plus délicieux. J'en ai été tellement sidéré que j'ai dessaoulé aussitôt, et durant le reste de la soirée, j'ai été obnubilé par une idée fixe : j'avais vécu trente ans en me privant durant toutes ces années de la nourriture la plus succulente qui soit sur terre, à savoir la viande de porc fumée. Aussi ai-je pris la décision ferme et définitive qu'à partir de ce jour-là, j'en mangerais autant qu'il m'en prendrait l'envie. Bien entendu, il était désormais hors de question de rentrer, car dans ma patrie, on n'aurait guère approuvé ce genre de disposition.

— On pourrait dire, avait raisonné non sans fierté le camarade de Saïd, que la Moldavie t'a piégé dans ses rets sournois.

— Ce n'est pas tout à fait exact, avait nuancé Saïd. En fait, c'est le porc qui m'a piégé dans ses rets sournois…

Sur quoi, il s'était jeté avec appétit sur une escalope de porc panée.

Mais ce jour-là, Saïd accueillait plus de cent coreligionnaires dans l'auditorium de l'université d'État de Moldavie. L'événement avait été baptisé « Journée de la fraternité arabe en Moldavie », et réunissait les étudiants de la fac de médecine, ainsi que les ressortissants du Moyen-Orient implantés en Moldavie, accompagnés de leur épouse autochtone. Lorsqu'il fut venu à bout de son discours (commandé à un étudiant en troisième année de journalisme), Saïd laissa passer quelques applaudissements polis mais rares, puis déclara :

— Frères et sœurs ! Au programme de ce soir : du thé, quelques pâtisseries bien de chez nous et le film *Le Colonel Kadhafi : hier, aujourd'hui et demain*. Mais ce sera après la partie solennelle. Car pour l'heure, j'invite Omar, notre respecté compatriote, à monter sur scène. Il tient à nous saluer, nous ses coreligionnaires, par des paroles aussi magnifiques que les yeux des femmes les plus magnifiques au monde : vos mères, vos filles et vos bien-aimées.

Les femmes de l'assistance esquissèrent une mimique approbatrice. Sentant qu'il avait été à la hauteur de son rôle d'orateur, Saïd regagna la salle avec un sourire plein d'autosatisfaction. Omar grimpa sur scène : propriétaire d'un garage, c'était un brun efflanqué en redingote, portant trois anneaux à la main gauche. Après avoir fait tourner l'un d'eux d'un air absorbé, il entama son allocution :

— Mes frères, nous sommes de paisibles Arabes, qui vivons dans la ville paisible de Chisinau dont, Allah les

bénisse, les habitants sont si bons qu'ils ne font pas obstacle à notre établissement sur leur terre. Nous sommes
marchands, artisans, médecins, ingénieurs… Et même si
nombre d'entre nous sont venus de contrées où la guerre
fait rage, personne ici n'a jamais tenu d'arme entre ses
mains.

L'un des hommes assis au premier rang pouffa de rire.
S'étant tu pendant quelques instants, Omar reconnut
Abdullah, un étudiant originaire de Palestine. De toute
évidence, ce dernier avait eu l'occasion de manipuler une
arme. Le visage d'Omar se fendit d'un large sourire.

— Mes frères, j'ai dit que personne ici n'avait jamais
tenu d'arme, et notre frère Abdullah a jugé ce propos
cocasse… Aussi en ai-je déduit qu'Abdullah avait sans
doute eu l'occasion de manipuler une arme.

La salle partit d'un éclat de rire bienveillant. Abdullah
était content.

— J'ignore quelle arme notre frère a eue en sa possession, poursuivit Omar. Peut-être un de ces scalpels qu'il
apprend à utiliser à la faculté de médecine où il étudie
depuis deux ans ?

Et la salle de se gausser encore plus bruyamment que
la première fois. L'étudiant palestinien secoua les mains
d'un air mécontent.

— À moins qu'Abdullah ait songé à une pierre, de
celles que l'un des infidèles – soit Marx, soit Lénine – a
appelées l'arme du prolétariat ? Il se peut qu'Abdullah
veuille parler de la pierre qu'il a peut-être jetée un jour
contre un tank israélien ? Si c'est ainsi, je suis heureux
qu'en arrivant d'Orient, nous ne nous contentions pas
de recevoir des prestations, d'acquérir une affaire ou des

connaissances, mais que nous renforcions aussi nos liens avec le prolétariat local…

La salle se mit à renifler. Personne ne riait plus, car nul ne comprenait où Omar voulait en venir. L'étudiant palestinien s'était empourpré.

— Vous devez vous considérer comme de grands guerriers, en lutte pour une juste cause ? vociféra Omar d'une voix pleine de hargne et de courroux. Tu parles ! Pendant son enfance, Abdullah, comme nous l'avons vu, a jeté une pierre sur un tank israélien. Oh, c'est certain ! après ce méfait, Abdullah a été considéré comme l'ennemi numéro 1 des sionistes. Et il est certain aussi que ce tank a dû exploser après le jet de pierre susmentionné. Voilà le grand guerrier qui siège à vos côtés aujourd'hui !

Omar opéra un petit salut ironique à l'intention d'Abdullah. Celui-ci baissa la tête, confus. L'affaire était entendue : l'orateur se moquait de lui et de l'assistance.

— Et voilà, reprit Omar après une minute de silence, pendant que vous tous, vaillants soldats, restez assis ici, ces maudits Américains massacrent nos frères en Irak ou en Afghanistan. Chacun d'entre vous se dit que ça ne le concerne pas, puisque vous vous êtes tous planqués en Moldavie, c'est-à-dire dans un endroit paumé. « Les bombes des Yankees ne m'atteindront pas ici », vous dites-vous avant d'aller boire un Coca-Cola au McDonald's et de draguer les filles du coin. Toute la ville sait que les Arabes passent leur temps au McDo à draguer des filles ! Quelle honte !

— Une honte ! s'écria Abdullah, tout content de voir sa honte personnelle disparaître derrière l'opprobre général.

— Bien dit, Abdullah, approuva Omar d'une voix caressante. Bien dit.

— Mais que pouvons-nous faire ? l'interpella quelqu'un dans la salle en écartant les bras. (Un ressortissant algérien, si l'on se fiait à son collier de barbe.) Que pouvons-nous faire, ici, entourés par quatre millions de gens qui ne professent pas notre foi, alors que nous n'avons pas d'armes ? Vous vous souvenez de la visite de Blair, ce fils de porc ? Faut-il que je vous rappelle ce qui s'est passé, à ce moment-là ?

La salle bruissa d'interjections amères. Quand le Premier ministre anglais en transit avait fait halte sur le territoire moldave, tous les Arabes locaux avaient été envoyés passer trois jours dans la base fluviale de Vadul lui Voda. « Qu'ils aillent faire un peu trempette », avait suggéré à cette époque le directeur du SIS, Constantin Tanase.

— Et quoi ? objecta Omar à l'Algérien. Tu veux dire que vous en avez été très contrariés ? Mais pas du tout ! Au contraire. Vous étiez ravis, au fond de vous, parce que cela vous offrait l'opportunité de justifier votre inertie !

— Mais supposons, par exemple, que nous assassinions un Américain, on nous expulsera tous d'ici ! s'époumonait-on dans la salle.

— Pourquoi tuer un Américain ici, quand vous pouvez aider vos frères au djihad par des moyens tout autres ? demanda Omar d'un air patelin.

Dans la salle, le moral chuta. Il était devenu évident qu'un appel aux dons n'allait pas tarder à être lancé. Avec de légers soupirs, les hommes tendirent la main vers leur

porte-monnaie, sous le regard à la fois nerveux et réprobateur des femmes.

— Je vois que vous m'avez bien compris, constata
Omar avec satisfaction. Nos frères ont besoin d'armes,
mais dans le monde qui est le nôtre, on ne vous donne pas
d'armes pour rien. Personne ne s'est encore jamais approché de moi en me proposant : « Frère Omar, tiens, voici
une arme. »

— Frère Omar, lança un petit vieux trapu en se levant,
un couteau de cinquante centimètres dans sa main tendue.
Tiens, voici une arme.

— C'est une arme bien insuffisante pour la guerre
que nous menons contre les infidèles, répliqua Omar, qui
s'esclaffa avec le reste de l'assemblée. Car eux sont équipés
d'une technologie diablement intelligente. Leurs bombes
sont plus intelligentes que nos scientifiques, leurs soldats
portent des tonnes d'armements. On s'est assez battus
contre ces chiens à mains nues et à coups de pierres. Il est
temps de traiter l'ennemi aussi salement qu'il nous traite.

— Tu veux donc parler de ce que nos frères ont fait à
New York, cette Babylone des infidèles ? s'écria Abdullah,
secoué par un tremblement nerveux. Dans ce cas, je serai
le premier à m'asseoir aux commandes de l'avion.

— Nous aurons l'occasion de réexaminer la question, répondit Omar avec un regard sévère à l'attention
d'Abdullah. Et tenez vos langues. Chacun doit savoir qu'il
est suivi par des milliers d'yeux, écouté par des centaines
d'oreilles, sur le point d'être saisi par des millions de mains.

— Omar, s'insurgea le petit vieux trapu, tu mani-
gances quelque chose et nous avons le droit de savoir quoi.

Parce qu'au final, on aimerait bien comprendre à quoi va servir notre argent.

— Mon frère, ce n'est pas l'ignorance qui te perturbe, ricana Omar. C'est d'avoir à desserrer les cordons de ta bourse.

La salle se gondola. Les adjoints d'Omar circulaient dans les rangs pour récolter l'argent. Si le don ne leur semblait pas assez conséquent, ils se plantaient devant le donateur jusqu'à ce que celui-ci ajoute en rougissant quelques billets dans la corbeille. Chaque fois que cette dernière était pleine, les collecteurs l'emportaient jusqu'à une urne en verre installée près de la tribune de l'orateur, et y déversaient le fruit de leur quête. L'urne se remplissait progressivement et, comme elle était immense, la vitesse à laquelle elle se garnissait enthousiasmait l'assistance. Il s'agissait en fait du petit secret d'Omar : la boîte avait été fabriquée à sa demande par un habile artisan verrier, et son intérieur était en réalité bien moindre qu'il ne le paraissait de l'extérieur. Ainsi stimulés, les donateurs ajoutaient sans relâche de l'argent dans la corbeille. L'affaire allait bon train.

— Ne soyez pas avares, mes frères, les encourageait Omar. Votre argent servira une cause juste. Croyez-moi, chaque dollar que vous donnerez à notre légitime combat coûtera la vie à trois, quatre voire cinq chacals américains. Et même si ce n'est pas vous qui les tuez de vos propres mains, celles qui s'en chargeront tiendront une arme achetée sur vos deniers.

— Eh bien moi, insista Abdullah, j'aimerais bien ne pas me contenter de donner de l'argent, je souhaiterais faire autre chose.

— Commence déjà par de l'argent, dans ce cas !

— Cela va de soi, répondit Abdullah en laissant tomber quelques billets dans la corbeille. Mais j'aurais bien voulu prendre part au combat personnellement.

— À quoi devons-nous ton impatience, mon frère ?

— J'ai rien à faire sur cette terre d'infidèles, s'écria Abdullah en levant les yeux au ciel. Je suis fatigué de vivre parmi des gens qui ne savent pas qui est Allah. Je veux me rendre en zone de combat et mourir pour la vraie foi !

Tout à coup enragé, Abdullah bondit sur scène et se mit à tourbillonner. Un pieux murmure parcourut la foule. Il était absolument patent qu'Abdullah était visité par les forces du bien, lesquelles étourdissaient le malheureux et l'obligeaient à manifester de la dévotion. Un grand nombre de personnes tendirent la main vers le Palestinien, afin d'effleurer ses vêtements, chacune d'elles jugeant qu'elle recevrait de ce fait une particule de la Grâce. Omar, qui voulut d'abord chasser Abdullah de l'auditorium (cet excès de fanatisme répugnait au garagiste, qui était un homme éclairé), se ravisa à point nommé. Une minute plus tard, ses collecteurs entouraient Abdullah, prélevant une dîme sur qui souhaitait toucher les vêtements du saint homme – car il était saint, sans conteste, puisqu'il avait la ferme intention d'aller prendre part à la guerre sainte pour y abattre un Américain. Cette équation suscitait un enthousiasme particulier dans l'assistance. Omar décida d'enflammer un peu plus une foule déjà bien remontée.

— Pourquoi désires-tu aller là-bas, Abdullah ? La mort ne t'effraie-t-elle pas ? cria-t-il en se penchant au-dessus de son pupitre.

— Non, parce que je préfère la mort à une vie sous le joug des infidèles !

— Nos ennemis prétendent que contrairement à ce que nous professons, nous ne nous envolons pas pour le paradis, quand nous mourons en les combattant. N'as-tu pas peur que ta mort marque simplement la fin de ton existence ?

— Non ! s'égosilla Abdullah. Je ne crains ni la mort ni les calomnies des infidèles. Ils cherchent seulement à nous arrêter parce qu'ils ont peur de nous.

— Mais pourquoi ont-ils peur de nous, Abdullah ?

— Parce que nous sommes les plus forts, Omar !

— Pourquoi sommes-nous les plus forts ?

— Parce que la vérité est de notre côté, Omar !

— Cela est vrai !

Abdullah tournoyait de plus en plus vite, et son visage était progressivement devenu livide. Ayant accompli quelques tours supplémentaires sous l'effet de la force d'inertie, le Palestinien se retrouva dans un coin de l'auditorium et s'effondra. Il avait du mal à respirer.

— Et donc, pourquoi veux-tu partir, Abdullah ? lui redemanda Omar.

— Je n'ai rien à faire ici, répondit le Palestinien.

— Et pourquoi n'as-tu rien à faire ici ? s'enquit Omar, qui leva les mains vers son visage dans un geste plein de pathos.

Abdullah s'empourpra.

— Hier, je me suis fait virer de la fac pour absentéisme.

29

Après une pause pénible, le temps que tous aient regagné leur siège (certains mécontents voulaient même récupérer l'argent dépensé pour toucher les vêtements d'Abdullah), Omar décida qu'il était temps de sortir un dernier atout de sa manche.

— Maintenant, mes frères, reprit-il en levant un bras pour imposer le silence à la salle, vous allez voir l'homme pour lequel nous nous sommes tous réunis ici, aujourd'hui.

La salle releva la tête. Par précaution, le petit vieux trapu sortit les gros billets de son porte-monnaie et les fourra dans sa poche.

— Vous le connaissez, parce que vous le voyez souvent quand vous achetez un chawarma, déclara Omar avec émotion, tout en pressant les mains contre son cœur. Et lui vous voit à travers le guichet du kiosque en question. Il ne sort jamais. Aujourd'hui seulement, en votre honneur et rien qu'en votre honneur, mes frères, il a rompu son vœu et quitté son abri. Je veux vous présenter un grand homme, il s'appelle Oussama…

La salle se pétrifia. Sans se presser, le grand Afghan grimpa sur scène. Aucun doute là-dessus, il s'agissait bien de lui, du fameux Ben Laden. Abdullah poussa un cri rauque avant d'éclater en sanglots. Oussama posa ses yeux clairs et sages sur lui, puis il salua la salle.

— Bonjour, mes frères. Je vous en prie, ne bondissez pas de vos sièges, ne criez pas. Conduisez-vous sans bruit et avec naturel.

— Oussama… psalmodia quelqu'un au poulailler.

— Oui, répondit l'Afghan avec un sourire, je m'appelle Oussama, et je ne suis venu ici que pour vous dire une chose. Mais d'abord, je veux que vous écoutiez une sage parabole. J'espère qu'elle trouvera un écho chez nombre d'entre vous. Êtes-vous disposés à entendre cette sage parabole, ô mes frères ?

Si Oussama avait proposé à l'assistance d'écouter une anecdote salace, elle ne l'aurait pas acclamé avec un plus grand enthousiasme. Répondant à la demande de l'Afghan, la salle s'abstint de tout vacarme, mais hommes et femmes hochèrent la tête avec une telle véhémence qu'Oussama ressentit comme un souffle de vent.

— Bien, fit-il en s'asseyant, jambes croisées, sur le bord de la scène. Je vous remercie de m'autoriser avec une telle amabilité à raconter cette parabole. Allah soit loué, elle sera brève. Aussi brève que notre vie, soit un instant dans l'histoire du monde. Alors voilà, j'en viens à ma parabole. Jadis, dans un pays lointain, vivaient un paysan et ses trois fils. Il n'y avait aucune femme dans la maison du paysan, parce que son épouse était morte et qu'il n'avait pas assez d'argent pour se marier une seconde fois. Son existence était pauvre mais digne : sans se plaindre, sans rechigner, il arrosait de sa sueur le lopin de terre qu'il tenait de la bienveillance d'Allah. Il était reconnaissant envers le Très Haut de la pauvre récolte qu'il réussissait à extraire de cette maigre parcelle.

— Voilà qui est vrai, ô homme juste, marmonna hypocritement Omar, qui se tenait dans un coin de la salle.

— Voilà qui est vrai, répéta Oussama, impavide. Ses fils étaient des personnes aussi pieuses qu'instruites. De vrais forçats. Nuit et jour, ils aidaient leur père au champ, et dans les heures de loisir que leur laissait le travail de la terre, ils façonnaient des cruches d'argile qu'ils vendaient sur le marché. Cette activité ne leur rapportait pas beaucoup d'argent, mais assez pour manger. C'était une famille heureuse.

— Voilà qui est vrai, bien heureuse, répondit la salle, hypnotisée par les yeux bleus du bel Oussama.

— Mais voilà, reprit l'Afghan en écartant les bras, l'heure arriva pour le vieillard de quitter cette vie éphémère. Il accueillit l'épreuve avec dignité, se prépara des vêtements propres, prit congé du monde, alloua une petite somme (il ne pouvait pas davantage) au mollah et appela ses fils à lui. Tous les trois.

— Voilà qui est vrai, tous les trois, psalmodiait l'assistance.

Ils étaient nombreux dans la foule à osciller d'avant en arrière. Plein d'envie et forcé d'admettre qu'Oussama savait captiver une foule mieux que lui, Omar descendit dans la salle après s'être emparé de l'urne renfermant le produit de la quête. Avec un dernier regard en direction de l'assemblée, il sortit de l'auditorium à pas de loup, emportant l'urne dans le couloir.

— Et voici ce que le vieillard dit à ses fils sur son lit de mort, racontait toujours Oussama. « En vérité, vous avez été le plus grand trésor de ma pénible vie : vous avez travaillé sans ménager votre peine, respecté votre père, le terrestre ainsi que le céleste, n'avez pas commis de péchés affreux. Aussi ai-je l'intention de récompenser chacun d'entre vous. »

— Mais comment ? Vu qu'il était pauvre ? demanda un membre de l'assistance.

— Oui, mon frère, tu as raison, répondit Oussama, après quelques secondes de réflexion. Le vieillard était extrêmement pauvre, aussi les fils furent-ils très étonnés des paroles prononcées par leur père à l'article de la mort. Ils jugèrent même que le malheureux divaguait.

— Et c'était bien le cas, Oussama ? voulut savoir Abdullah.

— Écoute la parabole jusqu'au bout et tu sauras, répliqua l'Afghan, avec un sourire si simple, si chaleureux que plusieurs personnes dans la salle éprouvèrent le bien-être qu'ils avaient connu dans la matrice de leur mère. Les fils, après s'être concertés, lui répondirent : « Eh bien, récompense-nous si tu veux. Mais sache que nous ne sommes pas venus à ton chevet dans ce but. Nous t'aimons et te respectons, car tu es notre père. » Alors le vieillard répliqua : « Que chacun me demande ce qu'il désire recevoir. Ne vous troublez pas, demandez tout ce que peut souhaiter un homme en ce bas monde. » Entendant cela, les fils furent convaincus qu'il perdait bel et bien la tête. Car le vieillard ne possédait rien. Mais pour ne pas affliger ce père qui leur semblait délirer, ils tinrent conciliabule et chacun demanda quelque chose en son nom propre. Le fils aîné déclara : « Je voudrais bien recevoir en héritage le tiers de ta terre. » « Je veux ta vieille chemise en souvenir de toi », répondit le deuxième. « J'aurais bien aimé que ta vieille houe m'échoie », demanda le cadet.

— Comme ils sont modestes, ces fils de paysan ! s'exclama Omar avec un respect involontaire, au moment où il regagna la salle.

— Oui, admit Oussama en souriant encore. Ce sont des souhaits tout ce qu'il y a de modeste. D'ailleurs, le vieillard demanda à ses fils : « Pourquoi réclamez-vous aussi peu ? Pourquoi ne me demandez-vous que des choses insignifiantes ? » Ce à quoi l'aîné eut la présence d'esprit de répondre : « Nous n'avons besoin de rien d'autre venant de toi, parole d'honneur. » « Je peux vous donner tous les trésors du monde, s'obstina le vieux paysan, les meilleurs chevaux du monde, les femmes les plus belles de tout l'univers, des sacs d'or, des vaisseaux de pierres précieuses, le succès à la guerre, la chance à la chasse, la gloire dans le monde entier. Pourquoi ne me le demandez-vous pas ? »

— Oui, grommela Saïd. Pourquoi ?

— Les fils demeurèrent inébranlables, poursuivit Oussama, le sourire toujours rayonnant. Ils ne souhaitaient que ce qu'ils avaient demandé auparavant : une infime parcelle de terre, une vieille houe et une chemise en lambeaux. Soi-disant qu'il ne leur fallait rien de plus. Et quand le vieil homme mourut, ils reçurent ce qu'ils avaient demandé.

L'Afghan se tut et demeura pensif. Perplexe, la salle resta muette, elle aussi. Au bout du compte, Abdullah fut le premier à se résoudre à briser le silence, et une fois qu'il se fut délicatement éclairci la voix, il demanda :

— Ô, grand Oussama, explique-moi, à moi qui suis

si limité, en quoi réside le sens de cette parabole? Et s'il s'agit bien d'une parabole?

— Oui, c'en est bien une, confirma Oussama. Car le paysan n'avait en effet rien du tout. Il se figurait simplement posséder tous les trésors du monde. Mais ses fils, qui ne souhaitaient pas l'affliger, avaient restreint leurs demandes à ce qu'il était en effet en mesure de leur donner.

— Mais qu'est-ce que cela signifie, alors? répéta Abdullah.

— Cela signifie que même si ton père – et de façon générale, une personne chère à ton cœur – raconte n'importe quoi, tu dois montrer jusqu'au bout de la délicatesse à son endroit.

Le silence se prolongea dans la salle.

— Et dans quel but nous as-tu raconté cette parabole, Oussama? demanda enfin Saïd.

— Je vous ai juste rappelé la nécessité de la délicatesse.

— Autrement dit, raisonna Saïd à voix haute, tu voudrais simplement éviter qu'on parle de ta présence, à toi, Oussama ben Laden, guerrier d'entre les guerriers, pourfendeur des infidèles, dans la même ville que nous?

— Je suis Oussama l'Afghan, qui peut très bien n'être pas plus riche que le paysan de la parabole dont vous venez tout juste d'entendre le récit. J'émince des légumes et je ne comprends pas pourquoi vous avez décidé que j'étais Ben Laden.

— Oussama ben Laden, fit le gros Algérien en bondissant, tu ne serais pas Ben Laden?

Au fond de la salle, un Arabe basané se crispa. Il redoutait par-dessus tout que la chaleur fasse couler le fond de teint qu'il avait sur le visage, et que tous s'aperçoivent qu'il n'était pas arabe. C'était un collaborateur du Service d'information et de sécurité, à qui Constantin Tanase avait ordonné d'assister à l'assemblée des Arabes moldaves, afin de découvrir s'ils mijotaient effectivement quelque méfait. Or il s'avérait bien que oui. À présent, il devait à tout prix s'esquiver en se débrouillant pour que personne ne le remarque. Mais en cet instant où l'attention générale était rivée sur Ben Laden, et toute l'assistance assise, l'opération était quasi impossible. Ce que l'agent des services secrets craignait surtout, c'était qu'on se mette à lui parler de la Syrie (pays d'où il était censé venir).

— Si je ne suis pas Oussama ben Laden, spéculait l'Afghan sans se départir de son sourire, comment puis-je l'être?

— Soit, mais si tu es quand même lui?

— Dans ce cas, il se trouve que je suis en effet Ben Laden, conclut Oussama avec un haussement d'épaules.

— Je suis complètement perdu, gémit Saïd d'un ton plaintif. Non, en fait, c'est cette fichue indétermination qui m'a perdu.

L'Afghan lui adressa un énième sourire et se leva.

— Alors écoute ça, déclara-t-il en réponse à la plainte de Saïd. Tu penses que je suis Oussama ben Laden qui nie être lui. Mais il peut très bien se faire que je ne sois pas Oussama ben Laden qui nie être Oussama ben Laden, afin que vous vous imaginiez tous que je suis bel et bien Oussama ben Laden…

La salle exhala un soupir de stupéfaction. L'affaire était entendue : cet homme à l'intelligence supérieure n'était autre qu'Oussama ben Laden.

— À ce propos, Omar, reprit l'Afghan en cherchant le garagiste des yeux, je te serais très reconnaissant de faire porter la corbeille contenant les dons de nos frères dans ma voiture.

30

« Chère maman,

Je pars ce matin, afin de remplir une mission d'importance… »

Interrompant sa missive, le protégé maigrichon du major Édouard, stagiaire au Service d'information et de sécurité, et accessoirement étudiant à la faculté de droit, s'approcha de la fenêtre. La pluie venait de commencer à tomber, et il faisait frais dans sa cuisine. Après avoir admiré les feuilles de châtaignier assombries par les gouttes d'eau, Andreï Andronic regagna sa table, devant laquelle il soupira profondément. Une demi-heure avant son départ pour Tiraspol, Andreï venait juste de comprendre tout le danger de la mission dans laquelle il se lançait. La peur s'était emparée de lui, et il était à présent assailli par le doute. Ayant tourné et retourné son crayon, Andreï gagna le couloir d'un bond énergique et composa le numéro du major Édouard.

— Allô, monsieur le Major ? J'aurais une question à vous poser.

— Vas-y, répondit l'intéressé avec bienveillance. Je suis toujours ravi d'aider les jeunes. À ce propos, tu n'es pas encore en route ?

— La voiture passe me prendre dans vingt minutes. Mais j'ai réfléchi, monsieur le Major, et je me suis demandé si ce que nous nous apprêtons à faire ne contreviendrait pas aux règles du droit international.

— Quoi? s'étonna Édouard avec la plus grande sincérité.

— Eh bien, répondit Andronic, confus, n'enfreignons-nous pas les règles du droit international, telles qu'instituées par la communauté mondiale au fil de multiples conférences? Notamment, à la conférence de Zürich en 1978, par les pays garants de l'Accord sur...

— Tu crèves de trouille, stagiaire? l'interrompit le major avec tendresse.

— C'est vrai, reconnut Andronic sans chercher à mentir. Je ne me sens pas très bien.

— Voyons, soupira Édouard, tu aurais mieux fait de le dire tout de suite. Au lieu de bavasser des âneries sur les conférences et le désarmement... Dis-moi plutôt, stagiaire, quelle est ton opinion concernant le Service d'information et de sécurité où tu effectues ton stage?

— Eh bien, commença Andreï d'une voix mal assurée, je ne sais pas. C'est des services secrets qui ont pour but...

— Non, le coupa Édouard avec amertume, tu cherches à biaiser. Tu étais tenté de dire que le SIS est un service dont tout un chacun se moque, du moment qu'il n'est pas trop paresseux. Que la ville presque tout entière connaît le visage de nos agents, qu'il ne nous reste rien de notre puissance d'antan, que tous ceux qui sont au courant de l'existence du SIS lui crachent dessus.

— C'est presque ça, confirma bien volontiers Andronic.

— Oui, répliqua le major d'un ton maussade, c'est

la vérité. Presque tout est vrai. Et vois-tu, stagiaire, tu peux même refuser cette dangereuse mission. Tu peux ne pas l'effectuer. Seulement, tu sais quoi ? Un chat acculé est un animal redoutable. Voilà pourquoi le SIS est dangereux. Je ne vais pas dépenser ma salive à te parler de patriotisme, de sens du devoir, des obligations du tchékiste. Je te dirais juste que...

— Quoi ? voulut savoir Andronic, qui venait de prendre la ferme décision de renoncer à l'entreprise absurde et hasardeuse que constituait la liquidation de Smirnov.

— Si tu ne vas pas à Tiraspol, mon salaud, martela le major dans le combiné, et si tu ne fais pas tout ce que je t'ai dit, étudiant de mes deux, on te guettera dans un hall d'immeuble. Et ce ne seront même pas des gars de chez nous, mais deux, trois criminels qui y gagneront une réduction de peine. Ils te pèteront les pieds, les mains, la colonne vertébrale, le nez, les pieds...

— Les pieds, vous l'avez déjà dit, piaula le stagiaire effrayé.

— Oui, mais les tiens sont grands, répliqua Édouard d'une voix morne et traînante. Et comme ils contiennent plus d'un os, on va te les péter en plusieurs fois. Tu piges ce que je te raconte, jeune homme ?

— Je pige, répondit le stagiaire Andronic avec un petit soupir.

— Donc, qu'est-ce que tu décides ? Je rappelle la voiture ? s'enquit Édouard d'un ton caressant.

— Surtout pas ! rugit Andronic. Je remplirai ma mission.

— Eh ben voilà, stagiaire. Mais ne m'en veux pas. Notre service est redoutable.

— Nerveux aussi…

— Très nerveux. Mais si c'est pas nous qui faisons le sale boulot, ce sera qui alors ?

— Personne, personne ! Rien que nous !

— Bravo, stagiaire. Quand tu reviendras, tu me feras ton rapport.

Andronic reposa le combiné, soupira, enfila la veste dans laquelle on avait cousu l'ampoule et se hâta d'achever sa missive.

« Je ne peux pas te révéler les détails de cette mission, mais tu dois savoir qu'elle est très importante pour notre pays et donc pour toi, ma vieille maman chenue que j'aime tant. Sache-le : si je ne suis pas revenu pour le dîner (à ce propos, s'il te plaît, prépare-nous un plat avec de la viande, parce que j'en ai assez des beignets de courgettes), c'est que je suis tombé au champ de bataille. La bataille invisible que nous, collaborateurs du SIS (eh oui, maman, ça y est, j'en fais partie !), menons chaque jour et chaque nuit contre les ennemis de la civilisation. Je t'embrasse, je t'aime, j'ai laissé l'argent pour le lait sur le frigo. »

En bas, une voiture donna quelques coups de Klaxon. Andronic poussa un profond soupir et quitta son appartement.

31

— Ou alors ça, gloussa Vladimir Lorinkov. Écoutez plutôt :

Je suis las de l'amour, très las
Je n'ai plus envie de tomber amoureux
Dans la poussière sombre des porches lugubres
Derrière les balustrades, p…, d'échanger des baisers
Je me suis lassé de tes crises d'hystérie,
Des balbutiements incohérents que tu souffles en rêve
De tes interjections cordialement impatientes,
Et de tes interjections idiotes et cordiales,
Je suis las de toi, des sons
Désordonnés et bruyants
Qui sortent de ta bouche
Des cheveux sur ton crâne,
Bizarrement secs aussi bien que souples…

— Bravo !
Smirnov leva son verre et trinqua avec Lorinkov.
Le stagiaire Andronic, qui se faisait passer pour un photographe, regardait par la fenêtre, le visage impassible. Smirnov lui déplaisait tout autant que Vladimir Lorinkov.

Andronic n'aimait pas les gros buveurs. Or le président de la république autoproclamée du Dniestr et le journaliste Vladimir Lorinkov avaient une bonne descente. Pour commencer, Smirnov avait lu des vers d'Essénine, puis Vladimir, d'humeur polissonne, s'était mis à déclamer des poèmes facétieux de sa composition. L'interview durait depuis plus de cinq heures. Le stagiaire était à ce point épuisé qu'il n'avait même plus peur de mener à bien sa mission. S'étant levé de sa chaise, il tituba jusqu'à Smirnov et agrippa comme par mégarde l'épaule du président.

— Il a un coup dans le nez, le gamin, fit le journaliste en suivant Andronic d'un regard vaseux. Il va gerber.

— Tout plutôt que la guerre, hoqueta Smirnov.

Les deux hommes éclatèrent de rire et trinquèrent de nouveau.

— J'ai l'impression qu'un truc m'a piqué à l'épaule, se plaignit Smirnov. Je dois vieillir…

— C'est pas la vieillesse. (Lorinkov fit un effort pour sourire.) C'est notre photographe qui vous a piqué avec une seringue spéciale. Remplie de poison. Sur ordre du SIS.

Smirnov s'esclaffa de bon cœur, tant il goûtait la plaisanterie.

— Bravo, les gars! Vous avez enfin trouvé comment liquider le président de la République moldave du Dniestr.

Sur le chemin du retour, Lorinkov exigea à quatre reprises qu'on arrête la voiture, pour bondir chaque fois dans les buissons. Le journaliste était soulevé par des vomissements aussi pénibles que douloureux.

— C'est l'abus d'alcool, commentait Andronic d'un

ton sentencieux, avec la sensation d'être débarrassé d'un poids immense. L'alcool aura votre peau.

— Mmmh, mugit Lorinkov. Mais moi, au moins, je mourrai d'ivrognerie, comme il se doit pour tout intellectuel moldave. Ta mort à toi sera vilaine, en revanche. Et c'est ton stupide service qui aura ta peau. Si je n'avais pas tourné la situation à la rigolade, on nous aurait enterrés tous les deux dans une cave de Tiraspol, jeune homme.

— C'est-à-dire ? s'enquit Andronic.

— C'est-à-dire que le Smirnov a senti qu'on l'avait piqué. Arrêtez la voiture ! Je vais aller gerber un coup.

Quand il eut raccompagné Lorinkov et son photographe, Smirnov se rendit dans son bureau pour ôter veste et chemise. Après un examen attentif de son épaule, il y découvrit une trace de piqûre et ricana. S'étant préparé un thé bien corsé, il faillit téléphoner, avant de se raviser. Il se rassit, alluma une cigarette alors même qu'il avait arrêté de fumer sept ans plus tôt. Son adjoint voulut se glisser dans son bureau, mais d'un regard impérieux, Smirnov lui ordonna de le laisser seul. Il alluma une nouvelle cigarette. Et finalement, au bout d'une demi-heure, le président se sentit mieux. Il décrocha son téléphone.

— Mettez-moi en communication avec le major. Édouard ? Tout est en ordre. Merci. L'argent sera transféré demain.

Ayant renfilé sa chemise, Smirnov vida sa tasse de thé et rentra chez lui. Le poison que lui avait injecté le stagiaire n'avait rien d'un poison, mais tout d'un médicament contre une forme rare d'allergie, qui se déclenchait chez lui en été. Ce médicament ne se vendait qu'en Allemagne, où une décision du Conseil de l'Europe interdisait à Smirnov de se rendre, comme dans tout le reste de l'Europe, d'ailleurs. Aussi, chaque mois, le major Édouard, enrôlé par les gens de Smirnov, lui envoyait-il un énième stagiaire, muni d'une seringue de ce médicament.

Et tout le monde y trouvait son compte.

32

— Amuse-toi tant que ton cœur bat !

Dès qu'il eut déclamé cette sentence anodine, le parrain du fiancé bondit de son siège et projeta son verre en cristal contre le mur. Le garçon du restaurant où se déroulait la noce plissa les yeux de chagrin et ajouta discrètement le montant de trois verres en cristal à la note. Mais pour le moment – ce serveur aux allures de joyeux basset le comprenait bien –, impossible de leur présenter l'addition, ils auraient pu le massacrer.

La fiancée, dont le ventre était joliment arrondi, adressa un tendre sourire à son parrain et embrassa son fiancé. La salle mugit, puis l'orchestre entama une mélodie populaire. La pendule indiquait 23 heures, aussi ne restait-il que très peu de temps avant l'un des moments clefs de tout mariage moldave : la collecte d'argent.

— Tu vas voir, ils vont faire la grimace quand les parents de la mariée passeront dans les rangs avec le plateau, chuchota Léna à l'oreille de l'agent Muntianu.

— C'est la coutume, répliqua celui-ci dans un haussement d'épaules.

Et ce disant, il enlaça sa compagne. Muntianu et sa bien-aimée n'avaient pas atterri à ce mariage sans que l'agent de la sécurité d'État n'ait obtenu qu'ils passent d'abord se récurer de fond en comble dans son appartement. Ensuite, ils avaient revêtu des vêtements propres et neufs.

— Mais alors, tu es riche, avait soupiré Léna, quand Muntianu l'avait amenée chez lui et conduite à la salle de bains.

— Non, avait avoué l'agent avec amertume. Je me situe au-dessous de la classe moyenne, mais comme tu es mendiante et prostituée, ma maison te semble merveilleusement luxueuse.

— Mais enfin, tu es toi-même mendiant, avait répliqué Léna en tourbillonnant devant le miroir.

Elle était si splendide que Muntianu devina qu'il n'arriverait pas à se contenir, cette fois. Ce qui advint en effet. Pendant que Léna prenait un bain, il se satisfit en douce, assis sur le lit, mortifié tandis que ses jambes velues tressautaient dans leurs chaussettes dépareillées.

La jeune femme ne se laissait toujours pas toucher par Muntianu.

— Je n'ai pas envie d'amour charnel, expliquait-elle à l'agent qui sombrait peu à peu dans le désespoir. J'en ai déjà plus qu'assez. Et puis, est-ce qu'on peut vraiment parler d'amour à propos de ce truc ? Tu ferais mieux de m'embrasser. Appelle-moi ton grain de raisin. Dis-moi que mes mains sont aussi blanches que du maïs jeune…

Pendant qu'il se pliait docilement aux injonctions de Léna, Muntianu songeait avec mélancolie que Tanase lui aurait mille fois mieux convenu que lui (il va de soi que l'agent, comme d'ailleurs tous les collaborateurs du SIS, s'était beaucoup amusé en écoutant les enregistrements des rendez-vous de son chef). Mais il ne se hasarda pas à le révéler à sa bien-aimée.

C'était un camarade d'université qui avait invité Muntianu à la noce, et ce, en conséquence d'une erreur tragique. L'ami en question avait aperçu par hasard son camarade de promotion assis sur un banc dans un long manteau noir et, apprenant que celui-ci travaillait au SIS, il en déduisit que Muntianu était un gros bonnet. Or en Moldavie, le titre de gros bonnet vous inscrit automatiquement sur la liste des invités de n'importe quelle noce se déroulant dans le pays. De surcroît, le condisciple de Muntianu étant myope, il ne distingua pas les loques que celui-ci portait sous son manteau.

— Et qu'est-ce qu'on va faire quand ils commenceront la quête? avait demandé Léna avec anxiété.

— Je vais trouver un truc, avait répondu l'agent, avant d'ajouter : N'y pense plus, profite de la noce.

L'agent avait pris la décision ferme et définitive qu'ils ne connaîtraient pas l'opprobre. Mais comment? Ravie, Léna partit danser, tandis que Muntianu harponnait une nouvelle portion de poisson farci. Son amie et lui avaient été placés à la table d'honneur. Avant le mariage, le camarade de Muntianu (le père du fiancé) avait informé sa femme qu'il avait eu le grand bonheur de tomber sur une vieille connaissance, officiant pour le SIS depuis de nombreuses années. Les deux époux en avaient conclu que Muntianu devait au moins avoir le grade de colonel.

— Donc on peut compter sur un minimum de cinq, sept cents dollars, s'était réjouie la mère du fiancé.

— Voire plus, si ça se trouve. Imagine qu'il soit général?

— C'est peu probable, avait raisonné sa femme.

— D'où tu sors ça ? s'était indigné le collègue de Muntianu. Tu sais bien que les gens du SIS ne divulguent aucune information sur leur fonction. Mais si j'en juge par son manteau…

— On pourra se prélever une petite dîme sur l'argent récolté, suggéra la mère du fiancé, ragaillardie. Les jeunes gens n'ont pas besoin de beaucoup.

— Comme tu voudras, répliqua l'époux-carpette.

— Et à ce propos, il faut que les invités annoncent au micro la somme qu'ils offrent. Comme ça, les radins se sentiront gênés.

— J'ai une meilleure idée ! intervint le camarade de Muntianu. Distribuons-leur des enveloppes à leur nom. De cette manière, on saura ensuite qui a donné combien.

— Trop tard, répliqua sa femme avec dépit. Pourtant l'idée est brillante, c'est indéniable.

La nouvelle qu'un général du SIS assistait à la noce fit rapidement le tour des tables. Chacun mit un point d'honneur à s'approcher de Muntianu pour boire un verre de vin avec lui. L'agent de la sécurité d'État riait de bon cœur. Il portait un uniforme noir très chic, fort semblable à une tenue de SS. Ce qui était en effet le cas : quelques années plus tôt, l'agent l'avait soustrait aux archives vestimentaires du SIS. Après quelques retouches et la disparition des emblèmes nazis, son nouveau costume lui inspirait la plus grande fierté. Léna portait une robe rose somptueuse, quoique légèrement passée de mode (c'était dans cette toilette que la mère de Muntianu s'était mariée).

— Encore un peu de poisson ? Une coupe de champagne ? proposa le serveur en volant vers lui.

Il avait reçu des organisateurs de la noce l'ordre exprès de se plier au moindre caprice de Muntianu.

— Oui. Et une rose rouge, répondit l'agent, qui s'étonna de son propre toupet.

Quand elle revint s'asseoir, Léna eut la surprise de voir flotter un charmant bouton de rose rouge à la surface de son champagne. Après avoir claqué un baiser sur la joue de Muntianu, la jeune femme exerça une légère pression sur sa main.

— Cette nuit, lui chuchota-t-elle.

L'ivresse de Muntianu tomba d'un coup, car il comprenait parfaitement de quoi il retournait. Tout en répondant à la pression de la paume de Léna, l'agent se résolut à ne pas abuser du vin. Le visage du marié vint se planter au-dessus d'eux.

— Monsieur le général, je peux vous parler une seconde ?

Sans sourciller, l'agent quitta la salle avec le jeune homme. Ils étaient attendus dans un angle du couloir par les amis de l'époux frais émoulu, des jouvenceaux fin saouls et transpirants, manifestement confus.

— Nous avons une prière à vous adresser, monsieur le général, commença timidement l'un d'eux. Non, ne niez pas, tout le monde sait quel est votre grade ! À ce propos, permettez-moi de vous inviter à mon mariage qui aura lieu dans un mois et…

— Viens-en au fait ! l'interrompit le marié courroucé.

— OK, on parlera de mon mariage après. Alors voilà : comme le veut la coutume, nous souhaiterions kidnapper la mariée.

— C'est en effet l'affaire des jeunes gens, gloussa Muntianu. Allez-y, les gars, je vous donne mon autorisation !

— On va éteindre la lumière dans la salle. (Les gaillards s'emballaient.) Et on amènera la fiancée en douce jusqu'ici. Et c'est vous qui partirez à sa recherche. Vous finirez par la retrouver et vous la rendrez à son mari. Contre une rançon, bien entendu. Vous nous remettrez cet argent, que nous rendrons ensuite par votre entremise. Nous nous sommes simplement dit que ce serait plus intéressant si ce n'était pas n'importe qui, mais un général du SIS qui se lançait à la poursuite de la mariée !

— Tout est fait dans les règles, à ce que je vois, approuva Muntianu d'un air d'importance. Je suis d'accord.

À minuit, la lumière s'éteignit dans la salle. Après des recherches espiègles, le retour de la mariée volée et cinq flûtes de champagne, Muntianu devint le héros de la fête. À 2 heures passées, la mère de la mariée circula en dansant entre les rangées de convives, tenant un coq vivant à qui l'on avait lié les pattes. Les parents du marié la suivaient, les bras chargés d'un grand plateau dans lequel les invités jetaient de l'argent. Léna adressait des regards de plus en plus anxieux à Muntianu :

— On va se couvrir de honte ! murmura-t-elle.

— Mille dollars, lança fièrement Muntianu dans le micro, avant de se rasseoir sous un tonnerre d'applaudissements.

— Hourrah pour notre si cher ami ! aboya le père du marié en se ruant pour étreindre Muntianu qui s'esquivait. Hourrah !

— D'où tu as pris cet argent ? demanda Léna.

— C'est la rançon de la mariée. Les amis du marié se sont imaginé que je l'avais restituée aux parents, et ceux-ci pensent que les copains de leur fils ne la leur ont pas encore rendue.

— Oh! s'exclama Léna avec un soupir soulagé. Mais ça va finir par tourner au vinaigre…

— Pourquoi? s'étonna Muntianu. Finalement, je l'ai rendu, cet argent.

En sortant de la salle avec Léna à son bras, Muntianu revit le groupe de jeunes gens, en plein conciliabule cette fois.

— Un escroc fini, entendit Muntianu.

— En fait, c'est un clochard, à ce qu'on m'a dit, confia quelqu'un.

— Et nous, on fait de sacrées patates…

— À ce propos, le voici, constata le marié, qui s'était retourné et portait un regard vaseux sur le couple. Il est venu se régaler gratos à une noce…

Le groupe se dispersa et une lame de couteau étincela dans la main de l'un de ses membres. Le marié avait préféré se munir d'une bouteille vide. Muntianu s'empressa de plaquer un baiser sur la bouche de Léna afin qu'elle ne s'aperçoive de rien.

Les serveurs ayant enfin réussi à réparer la panne d'électricité, les lustres illuminèrent le couloir. L'agent redressa les épaules, demanda à Léna de lui prendre le bras et d'avancer les yeux fermés.

— Tu vas me faire une surprise? demanda-t-elle d'une voix pleine de tendresse.

Et elle baissa les paupières.

— Oui, ma chérie, répondit Muntianu en l'embrassant de nouveau.

Ils avancèrent lentement. Les yeux rivés sur le sol foncé du couloir, dans la lumière aveuglante du lustre, Muntianu s'imagina que Léna et lui franchissaient un pont de Paris…

33

Les silhouettes surgirent tout à coup.

— T'as des clopes ?

— Oui, répondit Petrescu, si nerveux qu'il assortit sa réponse d'un tir de sommation.

Les sept adolescents s'écartèrent du lieutenant pour se réfugier dans le bâtiment abandonné d'une ancienne école.

— Ben quoi, vous ne voulez pas de feu ? leur jeta méchamment le lieutenant, qui s'immobilisa quelques instants.

Personne n'était accouru en entendant le coup de pistolet. Dans ce quartier, tout le monde était habitué aux échanges de tirs. Après avoir examiné les environs, Petrescu sortit une veste de sport en cuir de son sac à dos, et l'enfila rapidement. Puis il s'approcha de la fenêtre du rez-de-chaussée d'un immeuble et en éprouva la solidité des barreaux.

— Hé, mec, tu veux de l'aide ? l'interpella-t-on doucement depuis l'école.

— T'as encore besoin de feu ? répliqua Petrescu, en tirant son pistolet de sa ceinture.

— Oh, c'est bon, bredouilla le représentant du

groupuscule juvénile. On savait pas que t'étais balèze. Tu vas descendre quelqu'un?

— Si on veut, ricana Petrescu, tout en essayant de grimper aux barreaux.

— Laisse, on va t'aider. On est une bande, déclara fièrement l'adolescent.

— Bonne idée, haleta Petrescu, mais je vais me débrouiller seul.

— Comment tu t'appelles? poursuivit l'adolescent en s'approchant encore.

— Petrescu.

Le lieutenant ne songea même pas à mentir à ces gamins convaincus par avance qu'il s'était présenté sous une fausse identité.

— Petrescu le killer.

Le gosse lui tendit la main avec cérémonie.

— Enchanté. Dabija. Nicolae Dabija. Mes amis m'appellent le Chauve.

— Enchanté, Nicolae, répondit Petrescu, qui avait abandonné ses tentatives de grimper par les barreaux et serrait avec courtoisie la main qu'on lui tendait. Bon, moi, je me suis déjà présenté.

— Vous devez monter là-haut? demanda Nicolae.

— En gros, oui. Au quatrième étage.

Les amis du jeune Dabija commencèrent à sortir prudemment de l'école. À en juger par leurs visages, Petrescu et son pistolet leur inspiraient un respect immense, proche de la vénération.

— Les gars, leur expliqua Dabija après réflexion, notre camarade, Petrescu le killer, a besoin d'aller au quatrième étage de cet immeuble-ci. Or son hall est fermé par une porte à code. Quelqu'un le connaît?

— Non, répondit un grand gaillard à la coupe en brosse. Mais dans l'immeuble d'à côté, y a Nina qui le connaît. La Nina qui tapine rue Zavodskaïa, celle qui s'occupe des chauffeurs.

— Et cette Nina, s'enquit prudemment Petrescu sans relâcher son pistolet, elle voudra bien partager son secret avec nous?

— Sinon, on lui coince les doigts dans la porte, s'enthousiasma l'adolescent. Et elle sera tout de suite d'accord.

— Non, protesta le lieutenant, chagriné. Cette Nina ne nous sera d'aucune utilité. Juste un témoin superflu.

— Dans ce cas, on la tuera après, objecta le jeune gars.

— Pourquoi la tuer vu qu'on ne sera pas payé pour? répliqua Petrescu, qui était entré dans son personnage.

— C'est vrai... convint un écolier, frappé par la sage maturité du killer.

— Une vraie tronche, fit Nicolae Dabija, admiratif.

Petrescu s'accroupit et se mit à réfléchir. L'imitant, les adolescents se renfrognèrent. Contrairement à eux, cependant, Petrescu avait matière à réflexion. Il devait absolument pénétrer dans l'appartement de Vladimir Lorinkov en son absence. Quelques jours plus tôt, en passant près de la cathédrale, le lieutenant était tombé tout à fait par hasard sur l'amical mendiant qui manifestait une joie sincère à chacune de ses apparitions. Occupé par le souvenir de la nuit qu'il venait de passer avec Natalya (laquelle commençait à lui faire peur), Petrescu n'aurait prêté aucune attention à Muntianu (car il s'agissait bien de

lui) si le mendiant n'avait montré un comportement inhabituel. Alors qu'il accueillait d'ordinaire le lieutenant avec
joie, il ne manifesta cette fois-ci que la plus parfaite indifférence lorsque Petrescu longea la cathédrale. En outre,
Muntianu ne témoignait pas non plus du moindre intérêt
envers tout ce qui l'entourait. Ce qui n'avait rien d'étonnant, vu que Muntianu était mort. Couvert d'hématomes
(de toute évidence, on l'avait roué de coups avant qu'il
meure), le clochard était allongé sur un banc autour duquel
s'étaient agglutinés ses compagnons en mendicité. Ébahi,
Petrescu s'était approché et avait demandé aux vagabonds
attroupés :

— Qu'est-ce qu'il lui est arrivé ?

— Il est mort en Roméo, répondit un grand vieillard
aux cheveux blancs, incapable de contenir ses larmes.
Et notre Juliette l'a suivi dans la mort.

N'y comprenant goutte, Petrescu jeta un regard sur
le côté et aperçut une femme morte, au corps splendide,
mais défigurée par des cicatrices, qui gisait dans l'herbe.
Elle avait été lardée de coups de couteau.

Petrescu songea ensuite que les clochards mouraient
très fréquemment pour avoir consommé de la vodka frelatée, des suites de la tuberculose ou de la faim. Et aussi parce
qu'on les dérouillait souvent à fond. La police n'ouvrait
même pas d'enquête quand un meurtre survenait dans le
milieu des clochards. Petrescu soupira, se rappela encore
une fois Natalya avec irritation (mais que cherchait-elle
donc ?), puis il voulut s'éloigner du banc où reposait le
cadavre de Muntianu.

— Que Dieu ait son âme, déplora-t-il avec l'intention
de s'en aller.

— Monsieur le lieutenant ! (C'était le mendiant chenu qui l'avait agrippé par la manche.) Restez une minute. Le défunt vous a légué quelque chose.

Sans pouvoir se défaire de l'impression qu'il était le héros d'un film absurde (encore un peu et quelqu'un allait passer une lame en travers de son œil écarquillé), il se figea. Toute la situation – cette débauchée complètement cinglée de Natalya, dont il ne pouvait toutefois se séparer, les étranges funérailles du clochard inconnu, l'héritage de ce clochard, l'arrivée imminente de Rumsfeld, le secrétaire américain de la Défense, la permanence de vingt-quatre heures qu'on lui imposait en conséquence sur le trajet qu'allait emprunter cet hôte de marque et, bien entendu, la canicule – toute la situation, donc, lui portait énormément sur les nerfs.

— Si je buvais et fumais encore, je ne tiendrais jamais, s'était-il plaint à Lorinkov, qu'il avait rencontré devant le commissariat.

— Mon lieutenant, avait répliqué Lorinkov, si vous buviez, vous n'auriez rien remarqué du tout. Enfin, mis à part la canicule.

Au souvenir de cet échange de points de vue, un sourire torve se dessina sur le visage de Petrescu, et il jeta un regard interrogateur en direction du clochard. Lequel, s'étant assis près de son banc, fouilla dans un vieux sac ayant de toute évidence appartenu à Muntianu et en sortit une liasse de feuilles retenues par une ficelle. Les clochards poussèrent des cris affligés et versèrent des larmes. Petrescu battit des paupières, mais s'empara du paquet que lui tendait l'ordonnateur de ces étranges funérailles.

— Où allez-vous les enterrer ? demanda-t-il.

— On va faire descendre les corps dans ces catacombes, répondit solennellement le clochard chenu.

Et il indiqua à Petrescu une bouche d'égout ouverte. *En effet*, se dit celui-ci, *l'endroit n'est pas mal choisi, si l'on croit à l'immortalité de l'âme. En hiver, la centrale thermique réchauffera les défunts, et en été, l'eau accumulée au fond les rafraîchira. Bref, le paradis, y a pas à dire.*

— Qu'est-ce que c'est que ces papiers ? demanda-t-il en haussant les sourcils avec dédain.

— Ça, mon gars, tu le découvriras tout seul, répondit le clochard d'un ton chagrin.

Petrescu éclata de rire. Il riait encore lorsqu'il quitta le parc de la cathédrale et pendant qu'il marmonnait : « La canicule, la canicule, la canicule… » Ses nerfs lâchaient, c'était évident. De même qu'était patente l'explication de ce relâchement, à savoir la nouvelle maîtresse du lieutenant. Mais Petrescu était déjà amoureux, alors même qu'il s'efforçait de le dissimuler à ses propres yeux. Et encore plus à ceux de sa bien-aimée – car Natalya n'aurait fait qu'en rire. Or Petrescu essayait de ne pas prêter le flanc à une attaque. *Elle se joue de moi, mais si, de mon côté, je me joue d'elle, nous sommes quittes*, avait-il décidé.

Le lieutenant ne cessa de rire qu'une fois au commissariat, lorsque, après avoir dénoué la ficelle qui retenait la liasse de papiers et ramassé les feuillets qui s'en étaient échappés, il se mit à lire les mots qu'ils recelaient. Le hasard ne fut pas clément avec le lieutenant ; la première feuille qui lui tomba sous les yeux comportait, en grosses lettres : « Rapport d'espionnage 2347-23-F – résultats de la surveillance exercée sur le lieutenant Petrescu ».

Un coup d'œil hébété lui ayant révélé que sa porte était

restée ouverte, Petrescu se leva d'un bond, la claqua et reprit la feuille en question.

« À l'attention du directeur général du Service d'information et de sécurité (ci-dessous dénommé le SIS) et des structures exécutives du pouvoir. Informateur – agent Muntianu.

Je porte à votre connaissance le fait que, au cours du 17 juin 2004, le lieutenant Petrescu (ci-dessous dénommé l'objet) a rencontré des personnes suspectes à plusieurs reprises. La première entrevue a eu lieu au commissariat où l'objet est affecté, elle a duré une heure et demie. L'objet s'est entretenu avec un homme âgé de trente à trente-deux ans, de physionomie arabe… »

Petrescu essaya de se souvenir de qui il pouvait bien s'agir. Non, le 17 juin, il n'était même pas de service ! Attrapant une nouvelle feuille avec fièvre, le lieutenant poursuivit sa lecture :

« … le sabotage de la décision prise par le gouvernement moldave concernant l'intégration ultra rapide de notre république à l'Union européenne. En particulier, l'objet a exprimé la certitude qu'après une "répétition du 11 septembre", la Moldavie serait incluse dans la sphère d'influence de la République islamique du Crimostan, qui devrait naître sur les ruines de l'État slave d'Ukraine, suite à quoi elle entrerait dans cet État en qualité de membre associé. Pendant ce monologue, l'interlocuteur de l'objet a hoché la tête en signe d'approbation et même effectué quelques remarques dont le sens général revenait à exprimer l'opinion suivante : quand les femmes moldaves porteraient le foulard et les hommes la barbe, la justice commencerait enfin à régner… »

— Quel délire ! s'esclaffa Petrescu, incrédule.

Mais curieusement, il n'était pas joyeux pour autant.

« … il ne subsiste aucun doute concernant le fait que, comme vous l'avez deviné, l'objet soit un pervers sexuel… ne se lave pas régulièrement… capable de nouer des relations intimes dans le but de résoudre ses problèmes personnels… continue à chercher activement de nouvelles fréquentations… Pour autant que l'on puisse en juger d'après le comportement de l'objet, il essaie d'embrigader les femmes avec lesquelles il entretient des relations sexuelles.

« Les résultats de ma filature me permettent aussi d'établir que l'objet communique en permanence avec les hommes de Ben Laden (ci-dessous dénommé "le Prince"). En outre, à en juger par le comportement de l'objet au travail, les affaires du commissariat 134 (quartier de Rychkanovka) sont résolues selon les lois de la charia… En tant que citoyen de Moldavie, je proteste contre cet arbitraire et vous prie de prendre des mesures pour éradiquer ce désordre dans le quartier susmentionné. »

Petrescu repoussa les feuillets et se mit à réfléchir. En lisant ces rapports qui, aussi monstrueux que cela fût, parlaient de lui, honnête lieutenant de police, Sergueï se souvint d'une étrange discussion qu'il avait eue avec le journaliste Lorinkov. Il avait convoqué Vladimir pour une conversation sérieuse au sujet des bagarres qui le mettaient aux prises avec ses voisins. Non seulement Lorinkov avait déclamé des vers de sa composition (en les écoutant, Petrescu avait compris ses malheureux voisins), mais il lui avait également lancé une phrase étrange. Qu'avait-il dit, exactement ?

Avec vous, se rappela Petrescu sans certitude, *j'ai l'impression d'être Judas...*

Oui, c'était ça! À ce moment-là, naturellement, Petrescu n'avait pas accordé d'importance aux paroles de Lorinkov, mais il avait eu bien tort. Car le lieutenant venait de tirer une conclusion limpide : sans qu'il sache pourquoi, il faisait l'objet d'une filature. Et l'on proférait à son encontre des accusations bizarres. Étranges jusqu'à l'absurde. S'agissait-il d'une clique de fous furieux? Pourtant, le tampon apposé sur les rapports que lui avait remis l'étrange clochard ne laissait subsister aucun doute. Il était surveillé par le Service d'information et de sécurité. Petrescu se souvint alors d'un autre élément : Natalya lui avait raconté que l'un de ses anciens amants était une « huile ». Cependant, il n'avait pas davantage prêté attention à cette confidence.

Bref, de façon générale, je ne me suis guère intéressé à ce qu'on m'a raconté, constata Petrescu en examinant froidement son reflet dans une vitre mal lavée. *Quel idiot je fais!*

Petrescu renonça à l'idée d'avoir une petite conversation avec Lorinkov. En revanche, il était indispensable de procéder à une fouille minutieuse de l'appartement du journaliste. Lorinkov, ainsi que Serguei l'avait appris en appelant sa rédaction, se trouvait à Tiraspol. Autrement dit, le lieutenant devait pénétrer le soir même dans son appartement...

34

— Vous aimez la Moldavie, Andreï ? demanda Lorinkov, qui retrouvait peu à peu ses esprits.

— Beaucoup, répondit Andronic avec désinvolture, tout en tortillant sa chaînette.

— Je vous trouve bien indifférent, constata le journaliste en souriant, et il désigna la chaînette d'un signe du menton : C'est quoi, ça, le dernier truc à la mode ?

— Non. (Andronic s'empourpra.) C'est la chaîne d'un couteau papillon.

— Faites voir.

Ils sortirent de voiture et Andronic montra à Lorinkov son couteau dont la lame pivotait dans tous les sens.

— C'est pour ça qu'on l'appelle « papillon », expliqua le stagiaire du SIS à Lorinkov. À ce propos, pourquoi on a atterri ici et pas à Chisinau ? s'enquit-il en s'appuyant contre le véhicule. Parce que si je me rappelle bien, ce bled se trouve dans les cent cinquante kilomètres en amont de Chisinau sur le Dniestr.

— Oh, c'est rien, ça. Il nous faudra pas plus d'une heure pour descendre jusqu'à Bendery en suivant le Dniestr, et de là, on mettra le cap sur Chisinau, le rassura Lorinkov. C'est juste une lubie de ma part. Chaque fois que je rentre de Tiraspol, je demande au chauffeur de remonter le long du fleuve, vers Larga.

La bourgade en question était un village de cent à deux cents maisons, situé, comme le stagiaire Andronic l'avait rappelé, à cent cinquante kilomètres en amont de Bendery sur le Dniestr. Le village avait été bâti sur une petite péninsule, dans le cours supérieur du fleuve. À sa gauche s'étendait la Transnistrie, à sa droite la Moldavie. Au-delà, l'Ukraine.

— La fois où j'ai été en déplacement dans ce village, racontait Lorinkov avec feu, impossible d'obtenir une réponse sensée quand j'ai demandé aux autochtones sous quelle juridiction se trouvait leur village : moldave, trans-nistrienne ou ukrainienne ? Vous imaginez le tableau ? Des sauvages pur jus !

— Quelle différence de vivre sous telle ou telle juridic-tion, quand on habite dans un endroit aussi beau ? répliqua Andronic en mordillant un brin d'herbe.

— Et aussi reculé, ajouterais-je…

De fait, l'endroit était pour le moins isolé. Sous le couvert du manteau impitoyablement bleu du ciel moldave en été, le village semblait figé dans la roche d'un blanc aveuglant qui constituait la péninsule. Les autochtones faisaient la sieste : par une canicule pareille, personne ne quittait l'abri de sa maison. Au niveau de Larga, le Dniestr était un véritable fleuve, large et puissant, rien à voir avec le cours d'eau étroit et sale qui sépare la Moldavie de la Transnistrie à Bendery. Fasciné par le spectacle du courant, Andronic sentit soudain que la tête lui tournait et s'assit dans l'herbe.

— Vous allez avoir les fesses toutes vertes, stagiaire,

s'esclaffa Lorinkov. Levez-vous. Un petit coup de gnôle, ça vous dirait ?

— Eh bien… bredouilla Andronic sans trop savoir que répondre. Ç'aurait été avec plaisir, mais…

— On a accompli notre mission ! hurla Lorinkov, surexcité par la joie. Alors on va s'en jeter un petit !

— Vous avez des sautes d'humeur sacrément brutales, constata Andronic avec une moue désapprobatrice. C'est en général caractéristique des fous et des alcooliques.

Il ne dédaigna pas pour autant la flasque de cognac.

— Et des écrivains ! se rengorgea Lorinkov. Je suis écrivain, vous ne le saviez pas ?!

— Oh… répondit poliment le stagiaire. C'est cool.

— Non, répliqua Vladimir en se rembrunissant, c'est une malédiction. La même malédiction que celle de Michel-Ange.

— Ah ouais ? fit Andreï en avalant une gorgée. Il était maudit ?

— D'une certaine manière… (Lorinkov but à son tour.) Il était maudit, au sens où il a été dans l'obligation d'accomplir jusqu'à la fin de sa vie ce pour quoi il était prédestiné. Des dizaines, des centaines de sculptures…

Le stagiaire, qui n'aimait ni les statues ni les tableaux, resta muet et préféra se jeter une nouvelle rasade dans le gosier. Il comprit tout à coup que cela faisait déjà près de vingt-quatre heures qu'il avait quitté le bureau poussiéreux du major Édouard et l'écran noir et blanc où Constantin Tanase, le directeur du SIS, s'apprêtait pour la énième fois à mettre fin à ses jours. Il réalisa aussi qu'il ne se trouvait plus dans le bureau de Smirnov à qui il devait, au péril de sa vie, administrer une piqûre mortelle, mais au milieu d'un majestueux paysage que ce fameux Michel-Ange maudit aurait été tout simplement obligé d'immortaliser dans ses peintures ou ses sculptures. Andronic comprit enfin qu'il était en vie, de bonne humeur et, bon Dieu, jeune par-dessus le marché. Le stagiaire éclata de rire et s'approcha du bord du chemin qui surplombait littéralement le fleuve. Il s'imagina qu'il volait. Lorinkov éclata de rire à son tour, et bien que toujours dans sa voiture, le chauffeur s'esclaffa lui aussi.

— Qu'est-ce que vous avez à rigoler? lui demanda Lorinkov, qui avait recouvré son sérieux.

— Je viens de lire dans le journal que la Grèce légali-sait les travailleurs moldaves, répondit l'autre, sans même prendre le temps de réfléchir. Et j'ai ma femme et ma belle-mère en Grèce.

— Vous avez des enfants? demanda courtoisement Lorinkov. Quoique, excusez-moi, ma question manque sans doute de tact.

— Pas du tout, répondit le chauffeur avec une politesse inattendue chez un chauffeur. Oui, j'ai trois enfants.

Il descendit de voiture, son journal à la main.

— Mais qui s'en occupe, alors? s'étonna Lorinkov en s'écartant.

— Eh bien, moi, fit le chauffeur.

Il choisit une grosse pierre sur la route, qu'il enveloppa dans son journal.

— Telle est la destinée de nombreux Moldaves dont la femme est partie gagner sa vie, constata Lorinkov, qui écarta les bras.

— Vous avez tout à fait raison. (Le chauffeur soupesa le caillou enveloppé de journal.) Ça se voit *illico* que vous êtes journaliste. Vous avez le doigt sur le pouls des événements.

— C'est un cliché, grimaça Lorinkov.

— Pardonnez-moi, s'excusa le chauffeur.

Il marcha vers le stagiaire occupé à observer les eaux du Dniestr et, prenant un brusque élan, le frappa à la nuque. Andreï bascula et serait tombé dans l'eau si Lorinkov, aussitôt accouru, ne l'avait agrippé par-derrière et tiré sur le chemin.

— Mais enfin, qu'est-ce que c'est que ça, encore? protesta le chauffeur en faisant tomber la pierre du journal.

— Bordel! s'insurgea le journaliste. Qu'est-ce que vous fabriquez?

— Ben, vous voyez pas?

— Je parle pas de lui, répliqua Lorinkov. (Il jeta le corps du stagiaire par terre.) Je voulais savoir pourquoi vous balanciez pas le journal avec.

— Et à votre avis, siffla méchamment le chauffeur, qu'est-ce que je vais lire la prochaine fois que vous vous sentirez mal?

— Ouais, c'est logique, répondit Lorinkov après réflexion. Mais à présent, livrons le corps de ce malheureux à la terre.

— Non, je peux pas! (Le chauffeur, terrifié, agita les mains.) Et je vous le déconseille!

— Pourquoi ça?

Le chauffeur se mit à renifler.

— Vous lui avez dit qu'on descendrait le Dniestr avec lui jusqu'à Bendery, n'est-ce pas?

— Moui...

— Donc si on l'enterre ici, vous serez parjure.

— En effet. J'y avais même pas songé. Mais à votre

avis, c'est si affreux que ça, étant donné que vous venez de le tuer ?

— Non, je l'ai pas tué, j'ai juste exécuté un ordre. Alors que vous, personne vous a forcé à lui faire une promesse.

— D'accord, admit Lorinkov. J'ai pas envie de brûler toute ma vie *post mortem* dans le feu de la Géhenne. Aidez-moi donc à le balancer dans la voiture.

— Qu'est-ce que vous fabriquez ?

À son tour, le chauffeur parut étonné.

— On suit le cours du Dniestr jusqu'à Bendery et on le largue là-bas. Comme ça, ma promesse sera tenue.

Le stagiaire gémit et entrouvrit l'œil gauche. Avec un soupir, le chauffeur enveloppa de nouveau une pierre dans son journal. Lorinkov plissa les yeux, tant il appréhendait la suite, et recula vers la voiture. Le chauffeur lui jeta un regard méprisant avant de s'accroupir au-dessus du stagiaire. Quand il eut entendu deux coups sourds, Vladimir revint vers le corps.

— J'espère que c'est bon, cette fois ? ironisa-t-il.

— On dirait bien que oui, répondit l'autre d'un air préoccupé. Dire qu'avant, j'y arrivais du premier coup. La faute au manque de formation. Je suis de moins en moins qualifié.

— Qu'est-ce que c'est encore que cette histoire de formation ?

Lorinkov s'assit sur le corps et alluma une cigarette.

— Avant, on partait chaque année pour étudier, expliqua le chauffeur. Et on s'exerçait, comme qui dirait, à des travaux pratiques.

— Tu as descendu beaucoup de monde ? s'enquit Lorinkov, en homme de savoir-vivre.

— Peu importe, éluda le chauffeur dont le visage se ferma. Vous, les botanistes, y a que le sang et l'horreur qui vous intéressent… Hé, non, non! Pas sur moi, bon Dieu de malheur! Sur lui!

Après avoir rendu ses tripes sur le défunt, Lorinkov objecta d'un ton réprobateur :

— Entre parenthèses, si je suis nerveux, c'est que je suis un intellectuel. Et maintenant, allons-y, on le jette dans le Dniestr, et il a qu'à descendre le fleuve jusqu'à Bendery. Si jamais quelqu'un le découvre, on mettra tout le truc sur le dos des services secrets transnistriens!

Le chauffeur hennit son approbation. Un troupeau de chevaux paissant sur la même rive répondit à ce rire par un hennissement tout aussi sonore. Une fois la chemise du stagiaire mort bourrée de pierres, les deux hommes le précipitèrent dans le fleuve et regagnèrent leur véhicule.

— Vous savez, constata le chauffeur pendant le trajet, vous faites un collaborateur des plus honorables. Juste un peu trop compatissant. Pour le moment, en tout cas.

— Vous désirez boire un coup?

— OK.

Le chauffeur vida le reste du cognac et alluma une cigarette. La nuit tombait.

— J'ai encore des réserves, avança prudemment Lorinkov. Ça vous dit?

— Vous êtes un vrai camarade, acquiesça le chauffeur. Bien entendu, passez-moi la bouteille.

— On va pas avoir d'accident?

— Qu'est-ce que vous allez vous imaginer? Y a pas une seule voiture sur cette route, et même saoul, je conduis bien. Sans parler du fait que si on rencontre la police de la route, on a des papiers du SIS, de toute manière. Ils nous relâcheront.

— C'est tout de même pas mal d'être un agent recruté par votre organisation, se réjouit Lorinkov.

— Ça, c'est sûr, gloussa le chauffeur. Bon, alors, elle est où, votre bibine ?

— La voilà, répondit Lorinkov en lui tendant une petite bouteille. Allez-y, buvez.

— Vous d'abord, répliqua le chauffeur, qui avait failli avaler une gorgée.

— Vous êtes sacrément paranos, les gars du SIS, ricana Lorinkov en buvant. Vous voyez ? En pleine forme.

— Ma foi, c'est vraiment les nerfs qui lâchent.

— Mais pourquoi vous êtes nerveux ? gloussa Lorinkov. Vous l'avez bien tué, ce gars ?

Le chauffeur rit de bon cœur et but. Réprobateurs, les hiboux en station à la cime des pins reluquaient la voiture étrangère qui filait sur la route. Mais les rangées de bouleaux avaient déjà disparu. Le chauffeur expliqua à Lorinkov que les Russes avaient planté ces arbres ici, du temps de l'occupation soviétique, afin de déraciner de la mémoire des Bessarabes toute trace de la véritable nature roumaine. En tant que diplômé du lycée nationaliste Asachi[1], Lorinkov ne sourcilla pas.

— Y a pas à dire, c'est quand même bien d'être un collaborateur du SIS, répéta-t-il, revenant à sa pensée précédente. Tu n'en fais qu'à ta tête, et on te demandera jamais de rendre des comptes ! Ou bien je me trompe ?

1   Il s'agit de Gheorghe Asachi, écrivain roumain d'origine moldave du XIXᵉ siècle. (N.d.T.)

— Non, bien sûr que non ! s'exclama le chauffeur, tout guilleret.

La voiture ralentit jusqu'à s'arrêter. Lorinkov sortit, contourna le véhicule, ouvrit la portière côté conducteur et tira celui-ci en l'agrippant par la tête. De l'écume dégoulinait de la bouche béante du chauffeur, qui comprenait avec horreur qu'on l'avait empoisonné.

— Eh oui, confirma Lorinkov d'un air affligé. Pourtant, des collaborateurs expérimentés m'ont certifié que le vieux truc de l'éponge dans la bouche ne marcherait pas…

Le chauffeur voulut répliquer quelque chose, puis se ravisa et mourut en raclant la terre de ses doigts. Lorinkov couvrit son corps de branches de pins mortes que la canicule avait fait roussir, puis il composa un numéro sur son téléphone.

— Monsieur le major ?

— Vous avez mené toute l'opération à bien ?

— Oui.

— Parfait. Rentrez en ville. Vous trouverez l'argent dans le monument en forme de tasse, devant le cinéma du centre-ville.

Lorinkov fuma une cigarette et regagna la voiture en fredonnant gaiement. Une fois au volant, il éclata de rire. En dépassant la boîte métallique, une pie posa son œil noir, que la lumière des phares faisait briller, sur l'homme se gondolant à l'intérieur.

Vladimir Lorinkov venait de réaliser qu'il ne savait pas conduire.

35

— Oui ? Quoi ? Bon sang, Lorinkov ! s'exclama le major Édouard dans un éclat de rire. Vous ne savez pas conduire, et alors ?

— Comment je vais faire pour rentrer ? demanda le journaliste.

— Arrêtez, c'est pas possible que vous ne vous soyez jamais assis de votre vie derrière un volant ! insista Édouard, incrédule.

— Ben non, pas une seule fois, confirma tristement Vladimir.

— Écoutez, vous n'aviez encore jamais tué un homme de votre vie. Et puis aujourd'hui, vous en avez tué un. Vous avez réussi, non ? Donc, vous réussirez aussi à conduire une voiture.

— Sauf que je l'ai tué, comme qui dirait, de manière indirecte, répliqua Lorinkov, à qui la déduction d'Édouard avait déplu. Pas de mes propres mains.

— Ah bon, et la bouteille, vous la lui avez tendue avec quoi ? plaisanta Édouard. Vos pieds ?

Lorinkov raccrocha. Édouard sourit une nouvelle fois et composa le numéro du chef du service routier.

— En ce moment même, une automobile immatriculée chez nous fait route de Larga à Chisinau. Arrangez-vous pour que la voie soit libre. Comme notre gars conduit pour la première fois de sa vie, j'ai bien peur que les autres véhicules constituent autant d'obstacles.

— Comptez sur moi, répondit le colonel de la police routière, avant de s'enquérir : Il est donc inutile de le verbaliser, c'est bien ça ?

— Je crains que ça ne l'enthousiasme pas. Au contraire, arrangez-vous pour que l'un de vos agents lui fasse le salut militaire.

— À moins qu'on ne l'intercepte et qu'on installe un policier à nous au volant ? suggéra le colonel.

Édouard réfléchit et décida de repousser la proposition de son interlocuteur.

— Ce n'est pas la peine, qu'il conduise lui-même, répondit-il avant d'ajouter, une note d'espoir dans la voix : Si ça se trouve, comme ça, il réussira à se fracasser.

36

Vladimir descendit vers le fleuve, dont il observa les eaux avec la plus grande attention. Le corps du stagiaire apparut enfin. Cramponné à une souche, Andronic clapotait doucement près du rivage, visage vers le bas, évoquant un grand dauphin mélancolique à la nuque curieusement rougie. Ayant trouvé une branche robuste, Lorinkov tira le corps vers la berge où il parvint à le hisser. Il lui administra quelques taloches prudentes sur les deux joues, afin de vérifier s'il était tout à fait mort. Hélas, c'était bel et bien le cas. La nuit était à présent tombée. Lorinkov revint vers la voiture et parvint, au terme de longs tâtonnements, à dénicher le bouton qui allumait les phares.

— Et dire que quand j'étais gamin, songea-t-il avec regret, je voulais entrer dans un lycée professionnel pour apprendre la mécanique. Ô, ironie de la destinée… Moquerie du sort…

Après avoir fouillé de fond en comble les poches d'Andronic, Vladimir en tira un portefeuille qui contenait un peu d'argent, deux cartes de visite, une carte d'étudiant et des clefs sur un anneau rattaché à une breloque en forme de ballon de foot. Le stagiaire était un fervent supporter du Zimbru Chisinau. Lorinkov conserva l'argent et le porte-clefs, jeta le reste. Après quoi il tira un bloc-notes de sa poche où il inscrivit, à la lumière des phares :

« Je quitte la vie. Hélas, mon amour ne m'aime pas en retour. Marica, je ne t'en veux pas. Sache que je t'ai aimée. Adieu, tous autant que vous êtes. Votre A. Andronic. »

Lorinkov mit du temps à écrire ces lignes, parce qu'il les traçait de la main gauche. Faute d'habitude, le résultat n'était pas aussi bon que de coutume. Ayant glissé le billet dans la poche de poitrine du veston d'Andronic, Vladimir retira la seringue de sa manche et la jeta dans le fleuve. Puis il s'assit et se livra à quelques réflexions.

— Pourquoi que t'es triste comme ça, fiston ?

Bondissant sur ses pieds, Lorinkov porta la main à son pistolet, mais la silhouette de l'homme qui descendait vers le fleuve en suivant le chemin pentu ne laissait planer aucun doute concernant la bénignité de son caractère. Il s'agissait visiblement d'un vieillard. Lorinkov s'empressa de s'asseoir sur le visage d'Andronic, après avoir dissimulé le corps sous son veston. Dans la lumière du crépuscule, on avait l'impression que le journaliste était assis sur un petit monticule. N'empêche qu'il était quand même crispé. Le visage du défunt lui mouillait le postérieur.

— Bonsoir, lança cérémonieusement l'inconnu, suivi dans sa lente progression par un troupeau de chèvres.

— B'soir, répondit Lorinkov en se levant à contrecœur pour serrer la main du berger. Asseyez-vous, grand-père.

— D'accord, consentit le vieillard avec un large sourire qui mit Lorinkov mal à l'aise. Alors, pourquoi que t'es triste ?

— Qu'est-ce qui vous fait penser que je suis triste, grand-père ? protesta mollement Lorinkov, qui accepta l'outre de vin qu'on lui tendit. Je ne fais que me reposer, c'est tout.

— Qui c'est que t'essaies de leurrer ? répliqua le vieillard en dévisageant le journaliste, à qui il reprit la gourde. Force pas trop sur ce truc-là. Ce petit vin est costaud, y a de quoi être pris de boisson. Or tu es en voiture, à ce que je vois. Ta route est encore longue.

— Ça n'a pas d'importance, s'obstina Lorinkov en récupérant la gourde. Fais pas le radin, pépé. Moi aussi, j'ai des provisions, je t'en ferai profiter. Laisse-moi avaler une gorgée. Alors pourquoi je serais triste selon toi ?

— T'as une pierre sur l'âme, répondit le berger qui, jaugeant les épaules de Lorinkov, but un peu de vin lui aussi. Et tu ne sais pas comment t'en débarrasser.

— Bon, ton entame est plutôt banale, répliqua Lorinkov en haussant les épaules. Toutes les diseuses de bonne aventure commencent leurs boniments comme ça.

— Pas besoin de deviner quoi que ce soit, tout se voit.

— Et qu'est-ce que tu vois ?

— Tu as chargé ton âme d'un péché, répondit le vieillard en s'installant plus confortablement à côté de Lorinkov.

Il cria pour rassembler ses chèvres qui s'étaient égayées.

Décontenancé, le journaliste se trémoussa sur le visage d'Andronic. Il sortit ses allumettes et proposa une cigarette au vieillard. Pendant que les deux hommes fumaient, une chèvre s'approcha du corps côté pieds et entreprit de mâchonner une jambe du pantalon d'Andronic.

— Qu'est-ce qu'elle a trouvé là-bas ? s'interrogea le vieux en plissant les paupières.

Lorinkov constata avec joie que le berger devait être miro.

— Bah, rien, répondit-il évasivement. Elle broute de l'herbe.

— Ah, fit le vieux, rassuré. Qu'elle mange donc. C'est son lot de chèvre.

— Quel fataliste vous faites, ricana Lorinkov.

— T'as appris un mot inconnu et t'as décidé que t'étais devenu hyper intelligent, constata le vieux avec un sourire. Mais c'est pas grave, péché de jeunesse.

— Papé, raconte-moi quelque chose sur la guerre, la faim, le marasme économique. Sur le blocus de Leningrad ou bien l'offensive de Jassy–Kishinev[1], demanda Lorinkov qui adorait lire les œuvres des titans du réalisme socialiste à la nuit tombée.

— Y s'est jamais rien passé de pareil de par chez nous, à Larga, déclara le berger, l'index dressé. On vit loin de tout, y a jamais eu d'autorités et y en aura jamais. La guerre, on en a seulement eu vent par la radio. Les Allemands ne sont venus qu'une seule fois jusqu'ici, et ils étaient que cinq.

— Ils ont établi une Kommandantur? s'enquit Lorinkov, avide de sensationnel.

— Non, ils s'étaient égarés. Ils sont restés là trois jours, puis ils ont disparu. Mais l'un d'eux a déserté pour demeurer à Larga. À ce propos, comment qu'on t'appelle, fiston?

— Vladimir Popescu, journaliste, répondit Lorinkov, optant pour un demi-mensonge. Du journal *La Démocratie*. Et moi, à qui ai-je l'honneur?

— Otto Skorzeny[2]. Des forces spéciales, répondit le

1   Offensive soviétique menée contre les forces de l'Axe en Roumanie orientale en 1944. (N.d.T.)
2   Nom d'un véritable officier nazi qui effectua plusieurs missions commandos pendant la Seconde Guerre mondiale. (N.d.T.)

berger en serrant cérémonieusement la main de Lorinkov. Wehrmacht du Troisième Reich. Enchanté.

Il se remit à fumer, mais Lorinkov fut tellement stupéfié qu'il se leva, sans plus se soucier de ce que verrait ou ne verrait pas le vieillard.

— Autrement dit, articula-t-il, vous êtes ce fameux Allemand demeuré à Larga ? Vous êtes l'illustre Skorzeny qui a kidnappé Mussolini pour Hitler ?

— Eh bien oui, répondit le vieillard dans un roumain parfait.

Il parut se plonger dans ses pensées, puis déclara, après avoir adressé un clin d'œil à Lorinkov :

— Bon, je ne suis pas tout à fait allemand, bien sûr. Je suis italien. Nous sommes arrivés de Rome[1].

— Vous n'avez aucun regret ? demanda avidement Lorinkov, qui tendait déjà la main vers son bloc-notes.

— Non, fiston. On est bien ici, on a le calme et la tranquillité. Y a juste de temps à autre un noyé qui flotte sur le fleuve, mais c'est tout. C'est d'ailleurs bien à ça qu'on reconnaît un fleuve, ça sert à ce que des gens s'y baignent et s'y noient.

— Oui, mais à présent, l'Allemagne et l'Italie, c'est presque le paradis, objecta Lorinkov dans le but d'intéresser le vieux. Un capitalisme à visage humain. Les Soviets se sont fait ratatiner par vous, ça a pris cinquante ans, mais ils se sont fait ratatiner.

— J'en ai entendu causer à la radio, répliqua l'Allemand avec indifférence. Mais toi, tu parles exactement comme mon lieutenant.

— Qui était donc votre lieutenant ?

1   Slogan des nationalistes moldaves. (N.d. l'A.)

— Un activiste du Parti national-socialiste des travailleurs allemands.

— Un nazi, quoi ?

— Oui.

— Et qu'est-ce qui lui est arrivé ?

— Ben, je l'ai étranglé.

— Pourquoi ?

— Il avait bouffé la ration d'extrême urgence. Or les temps étaient rudes.

— Pourquoi ne pas l'avoir flingué ?

— Mais enfin, on était en train d'effectuer un raid pour prendre l'ennemi à revers !

— Et donc, je parle comme votre lieutenant ?

Lorinkov éprouva une sensation désagréable. Il ne se considérait pas comme un nazi. Simplement, il n'aimait pas l'Union soviétique. Par ailleurs, si Otto Skorzeny avait étranglé le lieutenant qui parlait comme Lorinkov, alors il pourrait très bien étrangler Lorinkov à son tour. Et la sensation était doublement désagréable. Appuyant les mains sur ses genoux, le journaliste était sur le point de détromper le berger quand un événement tout à fait incroyable se produisit soudain.

Alors qu'il avait été tué par trois coups de pierre dans la nuque, puis noyé, Andreï Andronic éternua et son observation du postérieur de Lorinkov lui permit de conclure dans un faible râle :

— C'est donc comme ça, l'enfer…

37

Après avoir laissé la voiture près de l'immeuble du Service d'information et de sécurité, Vladimir Lorinkov, les jambes raides, s'en fut prendre l'air dans le parc central. Il chassa les clochards qui se chauffaient au soleil, dans une grande fleur de pierre chargée de symboliser jadis l'amitié entre les peuples de l'URSS, et il y trouva le colis dissimulé dans une niche spéciale. Le major Édouard ne l'avait pas trompé : il y avait là la somme exacte lui permettant d'acheter un appartement dans un quartier correct de la ville, et de passer deux à trois années sans connaître la pauvreté. Lorinkov comptait mettre ce temps à profit pour écrire un livre. Car il était obsédé par le souvenir de Màrquez, vivant reclus pendant neuf mois dans un appartement parisien.

Ce qui a donné Cent ans de solitude, chuchota Lorinkov en serrant le colis contre sa poitrine. *Quels sacrifices n'accomplit-on pas dans le but de faire ce à quoi l'on est destiné...*

La pensée que cette ambition l'avait amené à commettre deux meurtres n'affectait nullement le journaliste. D'autant que l'un d'eux pouvait ne pas être considéré comme tel. Certes, le chauffeur tchékiste avait bel et bien passé l'arme à gauche. En revanche, malgré trois coups dans la nuque, Andreï Andronic, stagiaire de la sécurité d'État, était resté en vie. Bon, d'accord, il avait complètement perdu la mémoire, mais cela réjouissait Vladimir au plus haut point, en homme bon qu'il était, car vu l'amnésie d'Andreï, point n'était besoin de le tuer une troisième fois.

— Tu sais, fiston, j'ai tout de suite noté que tu étais assis sur un cadavre, avait confessé l'Otto Skorzeny demeuré en Moldavie, au moment des adieux. Et je m'attendais à ce que tu l'avoues enfin. Ah, si j'avais été plus jeune, je t'aurais montré comment on doit s'y prendre pour étrangler quelqu'un. Mais maintenant, c'est pas possible. Nous sommes tous des créatures du bon Dieu. Alors autant qu'il vive, ce gars-là.

Lorinkov n'avait pu que hocher la tête, médusé. Après avoir laissé un peu d'argent au bucolique Allemand, il reçut de lui la promesse de veiller sur le jeune homme et s'en alla.

Parvenu au quatrième étage, grâce aux adolescents animés d'une admiration sincère à son endroit, le lieutenant Petrescu enfonça le plus doucement possible la vitre de l'appartement de Lorinkov.

Violation du domicile d'autrui avec effraction, constata Petrescu en soupirant.

Et une fois le délit commis, il pénétra dans la studette avec mille précautions.

Il n'y avait là nul endroit pour musarder : la superficie de la chambre de Lorinkov dans ce foyer pour couples ou célibataires ne dépassait pas les huit mètres carrés. Une fouille rapide dans les papiers empilés sur la table permit à Petrescu, que plus rien n'étonnait à présent, d'exhumer un gros dossier, dont le titre annonçait :

Le Dernier Amour du lieutenant Petrescu.

Haussant les sourcils, le lieutenant s'apprêtait à entamer sa lecture quand la poignée de la porte d'entrée pivota doucement. De toute évidence, ce n'était pas le fait du propriétaire des lieux. Petrescu recula sans bruit jusqu'au réduit où se trouvait l'évier, s'accroupit et se dissimula sous une vieille couverture. Enfin venu à bout de la serrure, le cambrioleur pénétra à son tour dans l'appartement de Lorinkov.

38

Le major Édouard jeta un coup d'œil autour de lui et referma la porte. Personne. Alors le major s'assit sur le canapé pour y attendre patiemment sa victime. En dépit de ce qu'il avait espéré, Lorinkov avait regagné Chisinau. Aussi ne lui restait-il qu'une seule option : liquider le journaliste cette nuit, et porter sa mort au compte de voisins alcoolisés. Tout ce tracas à cause de l'argent, bien entendu. Non, le major n'avait nullement l'intention de s'approprier la somme. Simplement, ces cinquante mille dollars appartenaient au fond de réserve du Service d'information et de sécurité. On les montrait, les remettait même entre les mains d'un agent si celui-ci partait pour une mission importante, mais l'agent en question devait ensuite être éliminé parce qu'en se privant de ces cinquante mille dollars, le SIS aurait été en faillite. De façon générale, les collaborateurs du SIS qualifiaient affectueusement cet argent de « prix transitoire » et le payaient de leur vie. Le major ne souffrait pas de son geste : il aurait tué Lorinkov avec plaisir, et même sans qu'il soit question d'argent. Le fait est qu'au lycée, Édouard écrivait d'assez bonnes rédactions, mais sans qu'il comprenne trop pourquoi, sa carrière d'homme de lettres n'avait jamais décollé. Aussi en avait-il conçu de la haine pour tous ceux qui gagnaient leur vie par l'écriture. Comme il ne détestait pas les écrivains (faute de spécimens idoines en Moldavie), ne restaient plus que les journalistes.

Édouard avait eu beaucoup de mal à soutirer l'argent auprès de Constantin Tanase, qui en répondait de sa tête.

— Qu'est-ce que c'est comme opération, d'ailleurs ? avait voulu savoir son chef, avec une grimace qui accusait ses rides – il avait beaucoup vieilli ces derniers temps.

— Infiltration d'agents au sein du réseau des extrémistes arabes ! avait déclaré Édouard d'un ton gaillard.

Il connaissait le cheval de bataille de Tanase.

Une demi-heure plus tard, il se présentait à la caisse pour y recevoir l'immuable somme contre un reçu.

— Pourquoi sont-ils aussi dégoûtants ? soupira-t-il en recomptant les billets.

— Pardi ! répliqua la caissière, sidérée. Ça fait quatorze ans que tous ceux qui en ont le courage mettent leurs doigts sales dessus.

Poussant un petit gémissement, Édouard sortit son pistolet de sa poche pour y visser amoureusement un silencieux. Mais celui-ci lui échappa des doigts et roula sous le canapé. Le tchékiste lâcha une bordée de jurons et rampa pour le récupérer. Une fois au ras du sol, il tourna la tête sur la gauche… Le rideau qui séparait le réduit de la salle d'eau avait remué. Comme si de rien n'était, Édouard dénicha le silencieux, le fixa et, après avoir visé avec le plus grand soin, tira à quatre reprises.

— Alors, vous avez mal ? chuchota le major à celui qu'il pensait être Lorinkov caché dans le réduit.

Le major n'était pas un crétin ; simplement, aux cours qu'il avait suivis pour augmenter sa qualification, on lui avait appris qu'un homme, lorsqu'il se cache, répond en général à une question idiote.

— Vous vous trouvez dans la même pièce que lui, il est sous le canapé, vous êtes armés tous les deux... lui avait enseigné un instructeur de la CIA. Telle est en bref la situation. Ne lui dites pas : « Hé, sors de là ! » Posez-lui plutôt une question inattendue. Par exemple : « Tu as petit-déjeuné ce matin ? »

— Ou bien : « Quelle heure est-il ? », avait suggéré Édouard.

— Tout à fait ! avait approuvé l'Américain avec un sourire. Et même s'il ne répond pas, il ne manquera pas d'éclater de rire en entendant l'absurdité de la question. Alors hop-là, vous le descendez.

Se rappelant encore une fois l'Américain, Édouard répéta sa question :

— Vous avez mal ?

Dans le réduit, on ne pipait mot. *Eh bien*, en conclut Édouard tout content, *ça veut dire que notre homme est mort.* Le major se leva, s'approcha du rideau et le repoussa.

39

Si le lieutenant ne répondit pas à la question d'Édouard, c'est qu'il se trouvait bel et bien dans un état critique. À tel point qu'il ne pouvait même plus parler. Car la vieille couverture sous laquelle Petrescu s'était dissimulé, dans le réduit de la salle d'eau, diffusait une puanteur intolérable. Elle avait d'ailleurs atterri par erreur chez Lorinkov : éméché, le journaliste l'avait récemment décrochée d'une corde à linge, où il l'avait prise pour la sienne. Or la couverture, qui appartenait à une voisine, la Tzigane Sviéta, n'avait jamais connu, tout au long de son existence, ni lessive, ni poudre, ni tapette. Sviéta ne faisait que l'aérer sur les cordes à linge.

Aussi, quand retentirent les coups de feu, suivis de la question, Petrescu ne répondit-il rien, occupé qu'il était à réprimer les spasmes lui soulevant l'estomac. Par bonheur, le lieutenant n'avait rien mangé ce jour-là, il n'en avait pas eu le temps. Il s'apaisa, attendant que le second intrus s'approche et, d'un bond, il lui fonça dans le ventre, tête baissée.

La dernière chose que vit Édouard en s'effondrant contre la porte, ce furent les yeux larmoyants de Petrescu. Puis le major cessa de voir parce qu'il était mort. Et il était mort parce qu'il avait fait une chute sur le couteau que Lorinkov, de retour chez lui, tenait dans sa main : le journaliste s'en était en effet muni après avoir entendu un bruit suspect à l'intérieur de son appartement. Les agrippant par le col, Petrescu ramena le défunt Édouard dans le studio, ainsi qu'un Lorinkov complètement abasourdi.

— Entrez! rugit-il.

40

... *l'emporta sur tout, même le ballast. Cela dit, reprenons les événements dans l'ordre. L'accident se produisit alors que nous nous trouvions un peu au sud de l'équateur. Bien entendu, le capitaine prétendit par la suite que tout s'était déroulé selon la volonté de Dieu. À mon avis, il s'était imaginé un Dieu dans le but de Lui attribuer toutes ses infortunes. Toujours est-il qu'en parlant de ses réussites, Noé ne mentionnait jamais le nom de Dieu. « J'ai pensé », « J'ai su », « Et comme vous en avez eu l'impression quand j'ai... » Moi, moi, moi. Et sa famille tout entière était à l'avenant. Puis, quand la situation se mit à leur échapper, ils se souvinrent de Dieu. « Le Seigneur nous a envoyé une épreuve », « Dieu donne, Dieu reprend » et autres vérités de la même farine. Les échecs de Noé étant de plus en plus fréquents, le nom de Dieu ne quittait plus ses lèvres. Peut-être cela explique-t-il pourquoi l'on prit l'habitude de le considérer comme un homme très pieux. Cela dit, ses malheurs ne pouvaient être entièrement attribués à ce que l'on qualifierait avec indulgence d'imprudence de la part de Noé, mais surtout au fait qu'il n'avait jamais rien pu prévoir. Il s'en remettait en permanence à la chance, qu'il nommait naturellement volonté divine.*

Bref, comme d'habitude, Noé décida de faire remonter le vaisseau à la surface, parce que les données recueillies par ses espions indiquaient que la tempête s'était calmée pour un certain temps. Tous se réjouirent : Noé, parce que pendant les immersions, il ne pouvait siffler le moindre petit verre de son vin préféré, incapacité qui résultait d'un mélange incompréhensible de claustrophobie et d'alcoolisme ; sa famille, en particulier les femmes, parce qu'elles mouraient d'envie de se faire belles et de se mirer à la surface des eaux redevenues calmes. Quant à nous autres, à parler franchement, la vie recluse pesait sur les plus tranquilles et équilibrés des animaux. Les plus ravis d'entre nous furent néanmoins les deux douzaines de kangourous qui faisaient tourner en permanence les pales de l'énorme hélice propulsant notre navire antédiluvien.

Oui, vous avez très bien entendu : les kangourous étaient au nombre de vingt-quatre. Au départ, Noé avait en général raconté qu'il accueillerait les animaux par paire sur son bateau, mais une fois revenu à la sobriété (ce qui ne lui arrivait pas très souvent), il passa outre la volonté divine qu'il avait inventée. Ben, vous m'étonnez ! Il avait besoin de rameurs, le Noé ! Il faut bien le reconnaître, les kangourous répondirent à ses espérances. Pendant les huit mois que dura notre voyage, ces animaux nobles et puissants œuvrèrent sans faillir, et si nous survécûmes, ce fut au premier chef grâce à eux. Non, bien entendu, ils ne restèrent pas tous en vie. Quatre périrent, dont une femelle qui donna naissance pendant le voyage, après avoir dissimulé sa grossesse. Quand elle eut mis bas, Noé voulut expédier son rejeton dans la cambuse (j'y assurais justement le service de maître queux), puis il se ravisa. Oh, nulle considération humaniste n'entra en ligne de compte ! Simplement, il ignorait combien de temps durerait le voyage, vous comprenez ? Par conséquent, il se fit la réflexion que, si notre périple venait à se prolonger très longtemps, un petit kangourou deviendrait lui aussi un bon rameur en grandissant. Jamais l'idée d'installer des hommes de sa famille aux postes de rameurs ne traversa l'esprit de Noé. Sur le navire, on jasait : le vieux ignorait la durée de notre voyage pour la raison très simple que Dieu ne l'en avait pas informé. On prétendait qu'Il n'avait aucun désir de sauver Noé, et qu'Il était tout bonnement furieux de voir le patriarche échapper sans dignité au sort réservé à tout être vivant. En d'autres termes, Il regrettait que Noé ne se soit pas noyé sans autre forme de procès. Dans les cales du sous-marin, on ne cessait de murmurer que Noé avait appris l'imminence du Déluge par l'un de ses songes prémonitoires, voilà tout. Qu'il ne jouissait d'aucun don de divination. Qu'il s'était simplement saoulé encore plus que de coutume, et quelque chose avait changé en lui pendant son sommeil. De cette manière ou d'une autre, mais plus tard, pour autant que je puisse en juger, il conclut un accord avec Dieu ou, si vous préférez, une trêve. Dieu renonça à ébruiter le fait qu'il n'avait jamais désiré le salut de Noé (il semble que, de son côté, le Créateur n'ait guère souhaité rendre sa bévue publique). Pour lui témoigner sa reconnaissance, Noé accrédita la version de son sauvetage miraculeux, et vers la fin de sa vie, il en vint à se persuader sincèrement qu'il était un serviteur de Dieu.

Un serviteur de Dieu... Cela n'empêcha pas Noé d'obliger la femelle kangourou, pourtant affaiblie par ses couches, à poursuivre son labeur dans la cale des rameurs. Et les émissaires que ceux-ci lui envoyèrent eurent beau chercher à lui faire entendre raison, les femmes attendries de sa famille eurent beau l'en prier, Noé se montra inflexible. À mon avis, ce ne fut

rien d'autre qu'une manière de se venger de cette femelle (pré-
nommée Naïkha) qui l'avait roulé. Au bout de deux mois, la
pauvrette rendit l'âme en même temps que son nourrisson : son
éreintante besogne ayant tari son lait, elle s'étiola et mourut.

Il faut rendre justice à Noé : il les accompagna avec pompe
dans leur dernier voyage. « Avec humanité », pour reprendre
l'une de vos expressions. Et il fut fort mécontent de constater
qu'une grande partie des animaux ne témoigna rien d'autre
qu'une vague indifférence à cette occasion : le barbon n'aurait
su concevoir que les animaux suivissent une logique différente
de la sienne et s'intéressassent d'abord à la préservation de
la vie en tant que telle, plutôt qu'à votre empressement de la
pleurer avec décorum.

Néanmoins, la femelle kangourou fut vraiment pleurée
avec décorum. Nous avions alors fait surface aux environs de
l'actuelle Irlande, et nous nous alignâmes en deux rangées sur
le pont. Les corps des défunts furent oints de leurs meilleures
huiles par les filles de Noé et enveloppés dans des draps de soie.
Les gamines, il faut leur rendre justice, étaient bien plus com-
patissantes que leur père et ne lésinèrent pas sur les onguents.
Elles les donnèrent sans laisser échapper une seule plainte.
Nous restâmes quelques minutes en silence, puis Noé se mit à
réciter une prière funèbre composée par lui pour la circonstance.
Le vieux ne laissait jamais passer une occasion de se pavaner,
pour ça non ! Cela étant, je suis bien obligée de le reconnaître,
sa prière fut vraiment touchante. En tout cas, même le varan
éclata en sanglots, alors qu'on n'avait jamais tiré une larme de
cette biscotte auparavant. À moins que le stress lié au voyage,
aux extravagances et aux caprices de Noé n'eût été la cause de

notre sentimentalisme. Bref, tout le monde pleura, mais ce fut Noé qui versa les larmes les plus abondantes. Après quoi, les balluchons que l'on avait alourdis de nombreux cailloux furent passés par-dessus bord.

Par la suite, le vaisseau parla encore longtemps de ce qui était arrivé à la femelle kangourou, pour en arriver toujours à la même conclusion : Noé était une parfaite ordure, mais qui savait faire preuve de panache.

Je fus la seule à me montrer sceptique. Et jusqu'à maintenant, en me remémorant cet épisode, je ne vois ni beauté ni logique dans les agissements de Noé. L'idée des funérailles elle-même me décontenança quelque peu. Premièrement, des funérailles (au sens où l'entendent les humains) ont en général pour objet de dissimuler à vos yeux le corps de vos frères défunts. Mais comme nous n'avions d'autre choix que de jeter les corps à l'eau et que nous vivions nous-mêmes dans l'eau, je ne voyais pas le moindre sens là-dedans. La suite des événements me donna raison sur ce point-là : les rameurs déclarèrent à plusieurs reprises qu'ils avaient aperçu par les hublots des balluchons rappelant les cercueils improvisés des infortunés kangourous. N'aurait-il pas été plus intelligent – et je m'interroge encore aujourd'hui – de livrer ces corps aux oiseaux nécrophages ? La réponse est oui, à mon avis, c'est ainsi qu'il aurait fallu procéder. Ç'aurait été plus logique.

Toutefois, Noé ne suivait jamais la moindre logique. Il préférait les beaux gestes. Non parce qu'il aimait la beauté, mais simplement parce qu'il était poseur. Il se fichait bien du sens de ses actes, ce qui l'intéressait, c'était ce qu'en dirait son entourage. Commençons par le fait d'annoncer le Déluge à venir aux villageois des environs, alors qu'il n'avait pas la moindre intention d'autoriser qui que ce fût à monter à bord de son sous-marin. Jamais de la vie ! Bien avant le Déluge, ce bavard fantasque et râleur avait gâté ses relations avec tous ses voisins. Plus aucun ne voulait discuter avec lui. Mais Noé était incapable de s'en tenir à une ligne de conduite. Aussi, près de six mois avant le Déluge, profita-t-il d'une assemblée villageoise pour leur annoncer le malheur qui se profilait. Remarquons que sa joie maligne fut considérablement ternie par l'incrédulité générale qui accueillit sa nouvelle.

Oui, je sais, selon la version officielle, les gens étaient, pour le dire comme ça, quelque peu crispés par la décision qu'avait prise Dieu de les noyer tous. Mais il s'agit juste d'une histoire inventée par Noé. En réalité, personne ne crut au Déluge, chacun continua à vivre comme d'habitude jusqu'au tout dernier jour. D'où vinrent donc les animaux, me demanderez-vous ? Bien entendu, il n'y eut pas la moindre file d'attente devant le sous-marin. Personne ne se présenta, ni hommes ni animaux. Ce fut bien plus simple : Noé équipa des chasseurs qui lui attrapèrent les animaux en s'imaginant que le vieux voulait tout bêtement ouvrir une ménagerie. Aucune âme qui vive, à l'exception de Noé, ne monta de son plein gré à bord du vaisseau Le Salut. Même sa famille ne crut pas davantage aux relations privilégiées du patriarche avec Dieu.

Et pourquoi cela ? Parce que dans toute la Judée, il n'y avait pas homme plus débauché, plus libidineux, plus cupide, plus grossier, plus impie, bref, de plus grand pécheur que Noé. Tous le savaient à part lui. Aussi personne dans la famille de Noé ne pouvait concevoir qu'il existât une prophétie quelconque. Le vieux ne priait que très rarement, ne mentionnait Dieu, comme je l'ai déjà dit, que pour lui imputer tous ses problèmes, ne respectait aucun jeûne, n'effectuait aucun sacrifice...

Sans parler de sa passion pour la boisson et les femmes aux mœurs légères.

Plus tard, la colombe me raconta sous le sceau du secret que, quand on l'envoya en éclaireur depuis le navire pour voir si elle trouvait un endroit dégagé des eaux, elle croisa Dieu en chemin, qui se serait lamenté, lui aussi sous le sceau du secret, confiant à l'oiseau que ce n'était pas du tout à Noé qu'il avait envoyé sa révélation concernant le Déluge. La nouvelle devait parvenir en rêve à un autre homme... au pieux prophète Isaïe, qu'une haine ancienne et féroce opposait d'ailleurs à Noé. Or par malheur, cette nuit-là, comme de coutume, Isaïe était occupé à nourrir les sans-logis qu'il laissait dormir en permanence dans sa maison (jadis il avait été riche, mais ayant distribué tout son bien aux pauvres, il ne possédait plus qu'une grande maison), si bien qu'il ne ferma l'œil. Or une fois qu'il a franchi Ses lèvres, un message de Dieu ne peut plus être contrôlé par quiconque en ce bas monde, pas même Lui. Exactement comme ces malédictions tziganes impossibles à annuler (demandez à n'importe quel Tzigane), que l'on peut juste rediriger. Le message divin, qui doit obligatoirement trouver un destinataire, se promène en attendant au gré des ondes de l'éther. Donc voilà, en raison de sa bonté et des tracas que celle-ci lui causait, Isaïe ne reçut point la nouvelle du Déluge. Tandis que le Noé, rond comme une queue de pelle et roupillant tranquillou dans une flaque de boue de sa cour, se trouva inopinément sur le trajet du message divin qui voletait dans les parages.

Il se peut que la colombe ait quelque peu exagéré (c'est une habitude chez elle, il faut bien le reconnaître), mais dans l'ensemble, je suis tentée d'accorder foi à son récit. Ce qui, du reste, n'est pas à porter au crédit de la commère dans le cas présent: car Noé, en dépit de tous ses défauts, nourrissait pour cet oiseau précis les sentiments les plus tendres et les plus sincères. Convenez que si tel n'avait pas été le cas, il n'aurait pas installé un immense pigeonnier dans l'une des cales du navire. Certes, suivant la pente naturelle qui était la sienne, le patriarche ne se fit pas faute d'y loger aussi deux putois, dont l'un était asthmatique. Les souffrances du malheureux étaient redoublées par les minuscules écailles du plumage que les colombes, comme chacun le sait, essaiment en grande quantité. En outre, je vous le dis en confidence, avant l'immersion du Salut, près de la moitié des colombes esquiva la visite vétérinaire requise : or nombre de volatiles étaient porteurs de parasites aviaires. Vous pouvez vous représenter sans mal toute l'horreur de ce voyage pour le malheureux putois au bord de la suffocation, obligé de vivre six mois dans un local bondé d'oiseaux. Non, le putois ne mourut pas, bien entendu, mais depuis lors, ses descendants ne peuvent se débarrasser de l'écœurante puanteur qui, on l'aura compris, n'est pas chez eux un trait inné, mais un caractère acquis. Et à présent, vous savez qui permit cette acquisition. Mais vous, les humains, cela ne devrait pas vous émouvoir : vous vous fichez comme toujours des causes. Ce qui vous irrite, ce sont les conséquences, aussi les putois sont-ils à vos yeux des animaux répugnants. Cela étant, ces nobles bêtes sont à ce point pénétrées du sentiment de leur propre dignité (qualité qui leur est, croyez-moi, innée) qu'elles ne tentèrent pas une seule fois de réhabiliter leur image auprès de vous. Et elles firent bien. Pourquoi chercher à dessiller les yeux de l'aveugle ?

Toujours à propos de la colombe… Selon l'une des versions – l'une des vôtres, je tiens à le souligner –, ce n'est pas elle qui apporta un rameau verdoyant à bord du navire, mais un corbeau. Cependant Noé, refusant que le messager du salut soit cet oiseau désagréable, aurait annoncé que le rameau avait été *apporté par la colombe. C'est ce qu'écrivit l'un des représentants de votre race, un certain Barnes, dans* Une histoire du monde en 10 chapitres 1/2. *Bien que son regard sur l'histoire de Noé soit plus véridique que toutes les divagations bibliques, je ne peux que m'inscrire en faux contre le passage concernant le corbeau et la colombe. Noé ne pouvait envoyer le corbeau en éclaireur. Pour une raison très simple que vous avez d'ores et déjà devinée, bien entendu. Non, il n'y avait pas la plus petite trace de corbeau à bord du* Salut. *Du moins, officiellement… Si vous désirez savoir comment cette espèce put survivre, je vous suggère de méditer sur les raisons de la noirceur lustrée du plumage d'un corbeau. Croyez-moi, il ne s'agit pas non plus d'une caractéristique innée (de façon générale, le temps que dura ce voyage, une multitude de traits acquis firent leur apparition, grâce à Noé et à son entourage). Le fait est que, pour une raison obscure, Noé ne souhaita pas faire embarquer de corbeau, et le malheureux qui, par quelque miracle, avait entendu parler du Déluge, fut obligé de se faufiler sur* Le Salut *par des voies détournées.*

Noé le soupçonna-t-il ? Je pense que non. Car, comme j'ai déjà eu l'occasion de le répéter, personne ne croyait à la survenue du Déluge, si bien que l'embarquement à bord du navire ne suscita aucune fièvre. Bien pire, nombre d'animaux durent être traînés de force sur Le Salut. *Plus tard, Noé ne manqua pas de le rappeler, affirmant qu'il nous avait sauvés indépendamment de notre volonté. D'une certaine manière, c'était bien le cas, mais… imaginez qu'on vous ait proposé de passer la Seconde Guerre mondiale dans un camp de concentration. Vous y êtes ? À présent, vous comprenez mieux l'état d'esprit des animaux sauvés par Noé grâce à son sous-marin.*

Dans ces conditions, le corbeau ne fut pas obligé de déployer une extraordinaire subtilité pour monter à bord. Il se contenta de pénétrer une nuit sur le vaisseau amarré et d'y bâtir un petit nid dans la cabine la plus reculée et la plus confortable. Pour son malheur, il s'agissait de la cambuse, et l'infortuné volatile ainsi que toute sa famille furent contraints de passer les six mois entiers dans des odeurs de graillon (les belles-filles cuisinaient affreusement mal et ne cessaient de faire brûler leurs plats). Voilà pourquoi le corbeau devint noir.

Impossible, donc, qu'il fût envoyé en éclaireur : Noé ne conjecturait même pas sa présence sur Le Salut. *Ce fut donc bien une colombe qui s'éleva dans le ciel ce jour-là. Je peux le certifier en qualité de témoin : au moment de l'envol de cet oiseau babillard, nous nous trouvions tous sur le pont, à écouter un énième laïus politique de Noé.*

Oui, oui… Chaque fois que l'occasion s'avérait propice, le barbon nous alignait en rangs et nous assénait des cours affreusement assommants sur l'état du monde. Attitude on ne peut plus cocasse, si l'on songe qu'il n'était pas plus savant que nous autres concernant les éléments environnants : notre horizon commun était limité par les hublots du navire dont s'approchaient de temps à autre les habitants de la mer. Mais Noé n'en avait cure : il mentait avec abnégation, inventait des sornettes, donnait libre cours à son imagination et mêlait le tout aux récits fragmentaires sur le monde qu'il lui avait été donné d'entendre en sillonnant les marchés… Les thématiques en étaient arbitraires – géographie, politique, histoire, religion –, il s'efforçait de ne rien laisser dans l'ombre. Cela étant, il n'accordait pas la moindre importance au fait que le navire pût abriter quelqu'un de bien plus savant sur la question du jour. Imaginez ce que pouvaient éprouver le koala en entendant les édifiantes salades du patriarche à propos des buissons d'eucalyptus, ou bien les mouches (exemple mémorable entre tous) quand elles apprenaient de sa bouche qu'elles étaient nées de la boue. Que voulez-vous, il fallait ramer et ramer encore avant d'arriver jusqu'à Pasteur.

Cela étant, Noé, ce champion de la propreté, ne protestait pas contre les mouches! Que voulez-vous, il les considérait comme un mal inévitable : le patriarche croyait dur comme fer que les insectes naissaient des déchets. Et toutes les tentatives des messagers sagittaires pour lui expliquer qu'il s'agissait d'une erreur répandue ne faisaient qu'agacer Noé. Le contraire eût été étonnant, le patriarche n'écoutait que lui-même. Et, ah oui, il appelait bien sûr cela sa « communication avec Dieu ». Cela en arriva au point que si le patriarche avait le ventre qui grondait, il décelait dans ces gaz quelque signe céleste. Comme si Dieu n'avait rien de mieux à faire que de se faufiler à l'intérieur de ce vieux raseur décrépit pour lui susurrer quelque chose à l'oreille ou carrément dans la bedaine. En réalité, Noé aurait dû se freiner question nourriture (dans ce domaine, il ne connaissait pas la mesure), faire davantage d'exercice physique et boire moins.

À ce propos, pour en revenir à Barnes et à son Histoire du monde en 10 chapitres 1/2, *n'allez pas vous figurer que je médis en affirmant qu'une grande partie des faits mentionnés là-dedans est erronée. Cet homme a tout simplement été abusé. Si vous avez lu son livre, vous aurez remarqué à qui l'on doit le chapitre traitant de Noé, du Déluge et du sauvetage des élus : aux scarabées xylophages qu'un mouton aurait introduits à bord dans la pointe creuse d'une de ses cornes. Bien entendu, c'est à l'auteur de déterminer à qui il doit accorder sa confiance, mais je ne suis guère portée à considérer que des insectes sans cervelle soient une source d'information fiable. Et ce n'est même pas lié au fait que les scarabées soient des créatures plutôt stupides et inoffensives, car ils n'allaient pas se mettre à mentir exprès. Simplement, les xylophages, en raison de certaines particularités de leur espèce (et Barnes aurait dû les prendre en compte), passent la majorité de leur vie dans un arbre. Et donc ne voient rien. Par conséquent, ils n'ont reconstitué l'histoire du Déluge et du sauvetage qu'à partir de rumeurs, de conversations et de ragots. Ils n'en ont pas été témoins, voilà ce que je veux vous faire comprendre. Donc personnellement, j'aurais reçu leurs racontars avec une bonne dose de scepticisme.*

Je suis forcée de vous présenter des excuses pour le caractère quelque peu décousu de mon récit. Oui, comme vous l'avez déjà deviné, l'instabilité est aussi un trait acquis de notre espèce, acquis précisément à bord du sous-marin Le Salut. *Nous ne supportons pas certaines choses : premièrement, le tangage ; deuxièmement, les lieux confinés ; troisièmement, l'eau à proprement parler ; quatrièmement, la menace de voir un navire entrer en collision avec des récifs sous-marins. Or de telles menaces furent monnaie courante (n'oubliez pas que Noé était un capitaine effroyable). Bref, la mer, qu'avant le déluge nous n'aimions déjà pas trop, est à présent pour nous ce qui peut exister de plus atroce au monde. Et seul un vieillard aussi insupportable que Noé aurait pu concevoir l'idée « hilarante » de nous baptiser cochons de MER[1] ! De mer, ben voyons...*

À l'instant où Le Salut *heurta une montagne et où nous comprîmes que ça y était, le voyage était terminé, notre petit collectif soudé ne tarda pas à quitter le navire. Nous n'assistâmes même pas à la parade d'adieu à laquelle le vieux avait*

---

1   « Cochon de mer » est une appellation régionale pour « Cochon d'Inde ». (N.d.T.)

pourtant convié tous les passagers. Des clous! Si vous nous aviez vus (quatre mâles et deux femelles, dont moi) déguerpir à toute allure, loin de ces eaux sans fin, vers les prés gras et verts qui avaient déjà eu le temps de sécher au soleil... Depuis lors, sauf nécessité, nous ne nous approchons plus de l'eau. Et comme depuis six mille ans cette nécessité ne s'est pas fait sentir (nous trouvons bien assez de liquide dans les herbes), nous nous tenons résolument à l'écart de l'eau.

Mais bien sûr, il y eut d'abord le voyage que nous eûmes tous beaucoup de mal à oublier. Vous savez, si un cochon de mer sursaute et effectue un saut périlleux dans les airs, cela n'indique en aucun cas son envie de jouer avec vous (comme vous l'imaginiez jusqu'à présent). Si un cochon de mer sursaute, c'est qu'il s'est souvenu du Déluge. Et du voyage à bord du Salut, *bien sûr.*

D'accord, Noé fut loin d'être le tyran que dépeignent ses adversaires, mais il ne fut pas non plus un enchanteur (tel que la Bible le décrit), et il convient de remarquer qu'il ne chercha jamais à en devenir un. C'était une personnalité très contradictoire, ce Noé. Moi-même, pendant le voyage, j'eus plus d'une dizaine de fois envie tantôt de le mordre au talon, tantôt de lui lécher tendrement la main, même si je m'efforçai de réprimer ces élans : nul ne savait quelle serait l'humeur du capitaine dans la minute qui allait suivre. C'était une bombe à retardement, ce Noé, et l'histoire du lamantin en témoigne mieux que toute autre.

Comme vous le savez, le lamantin est un animal marin qui ressemble à un phoque. Mais si vous le savez, Noé, lui, ne le soupçonnait pas. Quand les chasseurs traînèrent devant lui le gros lamantin aux yeux tristes, trouvé, de leur propre aveu, non loin d'un rivage, le patriarche décréta, pour une

raison connue de lui seul, qu'il s'agissait d'un animal terrestre.
Les chasseurs furent dépêchés en hâte à la capture d'une femelle
de la même espèce, tandis que Noé leur fabriquait de ses propres
mains une caisse suffisamment grande et, allons donc, bien
assez confortable. Assez confortable pour sauver une vie, mais
pas assez pour qu'on y passe six mois. Vous comprenez ce que
je veux dire.

Et donc la caisse fut clouée, la femelle lamantin conduite
à bord du Salut *et les malheureux animaux saupoudrés de*
copeaux, lesquels, dans l'idée de Noé, devaient leur tenir chaud.
Des copeaux de bois complètement secs, je tiens à le préciser,
dont le capitaine disposait en abondance, car ses menuisiers
avaient œuvré des jours entiers.

Toutes les tentatives de l'intelligent lamantin pour s'expli-
quer et faire comprendre que son espèce n'était nullement
menacée par le Déluge ne produisirent aucun effet sur Noé.
Papy – de toute évidence influencé par l'humidité des yeux
languissants du lamantin – s'était enfoncé dans le crâne que
cet animal avait juste décidé de quitter la vie. De mettre
volontairement fin à ses jours.

— Le pauvre mignon ne veut plus se battre, voilà tout,
expliqua Noé à sa belle-fille Anaïs (qui était accessoirement sa
maîtresse). Quelque chose l'oppresse…

Ces paroles furent accueillies par un rire homérique de la
part des puces de rat qui écoutaient comme d'habitude en douce
les conversations de Noé. Par malheur, le rire de ces insectes
n'est pas suffisamment sonore pour l'homme, et le patriarche ne
soupçonna rien du tout. Or en dépit de toute mon antipathie à
l'égard des puces, je suis d'accord avec elles pour cette fois. Telle
est, à ce propos, ma spécificité par rapport aux représentants de
l'espèce humaine : je suis capable d'admettre que des créatures

pour lesquelles j'éprouve de l'antipathie puissent avoir raison.

Préoccupé par le destin du lamantin, Noé en conclut d'abord que c'était la peur du Déluge qui l'opprimait. Il décida alors de lui infliger une thérapie de son cru. Elle se pratiquait de la façon suivante : tous les soirs, le vieux s'approchait de la caisse des lamantins et, pris de boisson, leur racontait que le Déluge allait un jour se terminer et que lui, le lamantin, vivrait dans la maison de Noé. Le vieillard décrivait au lamantin les radieuses perspectives de leur vie commune à venir, l'appelait son chouchou, promettait de le nourrir jusqu'à sa mort et de ne jamais l'offenser. Désespérant de faire entendre quoi que ce soit à Noé, le lamantin restait muet et soufflait lourdement. Le manque d'eau, vous le comprendrez sans peine, pesait sur le lamantin et son épouse. Noé n'y prêtait aucune attention : il lui semblait que les animaux transpiraient juste de peur. La pitié le poussa à donner l'ordre qu'on obstrue le hublot dans la cabine des lamantins, afin que « la vue des profondeurs marines n'effraie pas les pauvres petits ». En conséquence de quoi, les lamantins furent privés de la possibilité de se consoler avec le spectacle de leur habitat naturel. Comment survécurent-ils ? me demanderez-vous. Heureusement, il y avait un éléphant parmi les animaux, et celui-ci avait vu beaucoup de choses au cours de sa longue vie. Donc, il connaissait les lamantins. Quand on sonnait l'extinction des feux à bord du Salut, l'éléphant pompait de l'eau dans la section des batraciens et arrosait les lamantins. Ainsi purent-ils tenir deux mois. Puis, Noé remarqua un jour que les animaux avaient l'air « plus mouillés que d'habitude ». Afin de résoudre ce qui lui paraissait un problème, il prit des dispositions pour qu'on chauffât la cabine des lamantins et ordonna aux paons d'éventer trois fois par jour les malheureux à l'aide de leur queue. Au crédit des paons – qui ne sont pas,

*hélas, les représentants les plus intelligents du monde aviaire –,
ils n'agitaient leur queue qu'en présence de Noé.*

*En somme, la survie des lamantins au cours de ce voyage
en sous-marin tint du miracle. Lors de son tout dernier
jour, le mâle, qui avait brisé sa caisse, se rua sur le hublot
(à ce moment-là, le vaisseau n'était plus immergé qu'à
mi-hauteur) et l'enfonça. Après quoi, les lamantins s'en furent
tranquillement dans l'océan, afin d'avoir le temps d'échapper
au reflux des eaux. Il ne fallait pas traîner, car elles baissaient
déjà! Cependant les lamantins, qui avaient pourtant fait
preuve à plusieurs reprises de politesse et de tact, décidèrent de
prendre quand même congé de Noé. Ils s'approchèrent du sous-
marin et manifestèrent leur présence par un petit sifflement.
En voyant s'ébattre dans l'océan des animaux qu'il avait
considérés comme terrestres et tenus pendant six mois au
régime sec, n'importe quel homme sensé se serait consumé de
honte. Mais pas Noé. Un capitaine de première classe (il s'était
attribué cette distinction au quarante-sixième jour du voyage)
ne pouvait se tromper! Noé le conquérant des mers n'avait
jamais tort!*

*Comment réagit-il, selon vous? Au lieu d'admettre son
erreur et de s'excuser, le patriarche se mit en rage et, s'étant muni
d'une barre de fer, voulut frapper un lamantin sur le crâne.
Il vociférait que le lamantin était de toute évidence un imposteur
et qu'il avait fait exprès (!) de se placer sous les yeux des chasseurs,
afin de passer six mois, non au milieu des eaux déchaînées du
Déluge, mais dans l'aisance et le confort (?). Avec beaucoup de
jugeote, le lamantin s'éloigna pour exprimer ce qu'il en pensait
en faisant tourner une nageoire devant son museau moustachu,
puis il s'en fut pour toujours. Noé, qui avait enfoncé tant*

bien que mal sa casquette de capitaine sur son crâne, frappa le mammifère marin d'anathème et voua les représentants de l'espèce humaine à l'extermination des lamantins, où qu'ils soient découverts. Sornettes, me direz-vous ?

Et la vache de mer, alors ?

Oui, oui, cette fameuse vache de mer qui disparut avant le XIXe siècle... Ce fut précisément pour cela qu'on l'extermina : en raison de son extrême ressemblance avec le lamantin. Certes, il existe bien quelques petites différences entre ces deux sous-espèces, mais les nuances vous intéressèrent-elles jamais, vous, les descendants de Noé ?

À ce propos, veuillez m'excuser. Depuis le jour où Le Salut *percuta un cachalot sous les eaux, je m'embrouille toujours un peu quand je parle trop longtemps. Et donc, j'avais commencé par l'accident.*

Sachez que le voyage de Noé n'eut jamais la moindre fin sensée. Nous avions juste fait surface pour respirer un peu d'air frais, regarder autour de nous et subir une énième leçon de la part du capitaine. Il me semble qu'il s'agissait ce jour-là d'un truc sur l'interdiction de mélanger des produits carnés et laitiers dans l'alimentation. À peine Noé, une fois d'attaque (grâce à un litre de vin, bien entendu), eut-il commencé à parler que le vaisseau s'échoua sur un banc de sable. Naturellement, nous nous écroulâmes tous les uns sur les autres, mais l'ordre fut rétabli assez vite. Ce qui nous permit alors de découvrir que l'eau baissait bon train pour laisser place à la terre ferme. On voit donc que, même si la colombe avait en effet rapporté un rameau verdoyant, Noé n'avait pas la moindre idée de l'endroit où accoster. Nous tombâmes absolument par hasard sur une terre émergée. C'est le premier point.

Et le deuxième point réside dans le fait que, quand nous nous fûmes réhabitués à la terre et que la situation eut commencé à s'éclaircir, il s'avéra que le Déluge n'avait duré qu'une semaine. Seulement, en piètre capitaine, Noé avait conduit son sous-marin jusqu'à l'actuelle mer Méditerranée et nous y avions évidemment navigué davantage qu'une semaine. Six mois, pour être exacte. Et ce n'est encore rien. Si Noé ne s'était pas trompé dans ses calculs et n'avait pas conduit le vaisseau vers les rivages de la Grèce, nous aurions vogué jusqu'à la fin des temps ! Quand nous abordâmes la terre ferme, le Déluge était terminé depuis belle lurette.

Quoi ? L'eau qui baissait ? Mais c'était juste la marée descendante !

41

— OK, lâcha Petrescu, fatigué, en repoussant les feuilles. Mais le lieutenant Petrescu, il vient faire quoi là-dedans ? Sur la chemise, il y a écrit : « Le Dernier Amour du lieutenant Petrescu ». Qu'est-ce qu'il – enfin moi – vient faire dans cette espèce de délire sur Noé, le déluge et les cochons de mer ?

Le jour se levait, pourtant il faisait toujours aussi sombre dans la pièce. Lorinkov, qui n'aimait pas la lumière du jour, obstruait systématiquement sa fenêtre avec de la toile cirée.

— Vous comprenez, s'empressa de répliquer le journaliste, quand je vous ai vu, ma... comment dire... stérilité créative a pris fin. J'ai senti que vous étiez pile-poil l'homme qui pouvait devenir le héros de mon livre. Bien sûr, vous êtes inventé. Cette force, cette vigueur, cette ambition..., mais naturellement, ces qualités n'allaient pas m'empêcher de raconter une histoire d'amour ! Si bien qu'en vous apercevant avec cette fille enragée, celle qui m'a donné des coups de pied à la manifestation des étudiants, j'en ai fait votre amoureuse. Et j'ai trouvé le titre de mon roman : *Le Dernier Amour du lieutenant Petrescu.*

— J'ai déjà entendu ça quelque part.

VLADIMIR LORTCHENKOV

Petrescu lâcha cette phrase banale, les yeux bêtement rivés sur la nappe verte. Pour la première fois, il regrettait de n'être jamais allé voir une pièce du théâtre de l'absurde. Si tel avait été le cas, songea-t-il, ç'aurait été plus facile, maintenant.

— Mais qu'est-ce que je viens faire dans le titre si votre… ce… livre ne dit pas un mot sur moi ?

— Comprenez, expliqua Lorinkov d'un air coupable, ça n'est pas allé plus loin que le titre. Je me suis installé pour écrire un roman sur ce vous que j'avais inventé, puis j'ai pigé que ce serait en fait un livre sur des événements bibliques narrés du point de vue d'un personnage secondaire. Je sais, l'idée n'est pas nouvelle, mais je l'ai reconnu avec honnêteté par la bouche de mon héroïne, le cochon de mer. Rappelez-vous l'endroit où il est question de *L'Histoire du monde en 10 chapitres 1/2.*

— Les cochons n'ont pas de bouche, mais un groin, rectifia Petrescu.

— Mon lieutenant, s'esclaffa Lorinkov, vous êtes un formaliste.

— Sans doute, répondit Petrescu, qui repensa à Natalya et au clochard Muntianu. Bien, mon journaliste, qu'est-ce qu'on va faire, à présent ?

— Il faut qu'on trouve une idée pour… enfin… ce corps.

Petrescu jeta un coup d'œil à Édouard et éclata de rire. Pendant tout ce temps, jusqu'au matin, Lorinkov était resté sur sa chaise, tenant son couteau fiché dans le dos du major. Le journaliste suivit le regard de Petrescu et s'esclaffa lui aussi.

— C'est quoi, leur histoire de terroristes arabes ? s'enquit Petrescu en essuyant ses larmes.

— Une bêtise, mais dangereuse, répondit Lorinkov entre deux gloussements. Nos services secrets ont décidé de se distinguer auprès de leurs collègues occidentaux en dénichant Ben Laden, ici, à Chisinau.

— Et il s'y trouve vraiment? voulut savoir Petrescu, agréablement surpris.

— Qui sait? gloussa Lorinkov. Perso, je n'y crois pas.

— Bon, mais moi, qu'est-ce que je viens faire là-dedans?

Petrescu n'avait pu s'empêcher de reposer la question désormais rituelle.

— Par bêtise, j'ai lâché votre nom de famille quand on m'a interrogé sur les terroristes arabes, avoua Lorinkov en riant à gorge déployée.

— Tout se passe vraiment ainsi, de façon aussi idiote? fit Petrescu, sans pour autant se mettre en colère.

— Notre vie entière n'est qu'une série d'événements absurdes, lieutenant, répliqua le journaliste, qui cessa enfin de ricaner.

— Ce monde n'est rien qu'un sacré bordel, convint Petrescu. Je vais sans doute partir. Tout est absurde. J'ai envie de quelque chose de… d'authentique. Je vais aller chercher ma femme et partir.

— Moi aussi, je vais partir. Et cette femme, elle sait qu'elle est la vôtre?

— J'ai bien peur que non. Mais je réussirai peut-être à la convaincre.

— Vous voulez aller où?

— J'aurais bien aimé l'Espagne.

— On y a fait péter une bombe dans le métro. En fait, c'est déjà le bordel en Europe.

— Une île, alors? L'Angleterre? Les États-Unis? La Russie?

— Ici comme là-bas, c'est le même marasme. L'Orient n'est plus une option non plus. On y a affaire soit à des terroristes, soit à des services secrets. Même chez nous, en Moldavie, c'est la même chose à présent.

— Mais où se tailler, alors? demanda Petrescu en se mordillant la lèvre.

Lorinkov, qui compatissait sincèrement, leva soudain les bras et se pencha vers son interlocuteur :

— Écoutez, lieutenant! Je connais un merveilleux petit endroit très calme. J'en revenais justement hier soir…

42

Sentant que quelques semaines supplémentaires de fortes chaleurs et de chasse aux terroristes arabes allaient purement et simplement l'achever (sa tension faisait des bonds dignes d'une balle en caoutchouc cinglée, se plaignait-il à sa femme), Tanase s'était mis à boire. Sa porte fermée à clef, le directeur du SIS attrapa de ses doigts tremblants la cassette qui contenait les énièmes écoutes de Petrescu, et décréta qu'il s'agissait du dernier enregistrement qu'il écouterait. Après quoi, on arrêterait Petrescu.

— Tout beau, tout chaud, murmura Tanase, que la touffeur empêchait presque de respirer, et il explosa de rire.

Après avoir bu une gorgée de vin à même le goulot (trop fatiguant d'aller chercher un verre, et surtout, trop honteux), Tanase alluma résolument le magnétophone. L'absence de chanson populaire lui insuffla un optimisme prudent : Tanase croisa les doigts et se prit à espérer que Natalya et Petrescu s'étaient disputés.

— Je veux m'évader de Chisinau. J'ai épuisé cette ville et cette ville m'a épuisée, disait Natalya, qui semblait fumer une cigarette.

— Tu ne t'évaderas pas de toi-même.

Tanase constata avec plaisir que Petrescu était morose, ce qui expliquait pourquoi il se complaisait dans les banalités.

— Baise-moi.

Tanase soupira.

— C'est un oxymore.

Petrescu devait être tout content de pouvoir replacer dans la conversation un mot qu'il avait lu la veille dans une pièce de Shakespeare.

— Pas du tout, mon chéri, roucoula Natalya. Ç'aurait été un oxymore si j'avais dit : « Baise-moi sans me toucher. »

— La ferme, et agenouille-toi.

Le bruit sourd qu'on entendit alors suggéra que Natalya avait obtempéré. Petrescu, sur la bande, et Tanase, dans son bureau, lâchèrent un souffle rauque. Pour des raisons différentes, il est vrai.

— Tu ne sombreras pas dans la mélancolie, mon chéri. Pas vrai ? s'interrompit Natalya.

— Quand tu fais remonter ta langue, répondit Petrescu après une pause, tu la passes en plein sur le cœur du Seigneur.

Il est lyrique, lui aussi, remarqua Tanase avec une joie maussade. *Donc son tour viendra de se faire larguer.* Il porta encore une fois la bouteille à ses lèvres.

— Alors tu n'as pas sombré dans la mélancolie, mon chéri ?

— Quelle différence cela fait-il ?

— Nous ne nous sommes pas… (Petite pause pour, s'imagina Tanase au désespoir, faire glisser sa langue de feu sur ce maudit lieutenant, puis interruption du mouvement.) ... mis d'accord...

— Certaines femmes... (*Le jeunot a dû rougir*, songea Tanase.) ... font ça bruyamment, avec beaucoup de salive, elles avalent jusqu'à la base. Pas toi. Toi, tu donnes des coups de dard.

Et toi, tu me dardes en plein cœur, minable petit lieutenant de malheur, répliqua Tanase *in petto*, tout en commençant à jeter sur le papier l'ordre de liquider Petrescu. Il était à bout.

— La salive... (Le bruit – *Dieu merci, j'ai eu la présence d'esprit de ne pas demander des vidéos*, se dit Tanase avec hargne – donnait à penser que Natalya crachait sur le lieutenant avant de le lécher.) ... c'est très important, plus encore... que tu le penses, mon chéri...

— Comme ça. Continue.

— Mais... il ne faut pas être mélancolique. C'est si triste tout ça. Ça met tellement... ce petit mec... sous pression... Nous ne l'avons pas cherché. Nous ne partageons pas nos soucis et nous ne sommes jamais de mauvaise humeur.

— Oui, mais... (Tanase eut l'impression d'entendre de l'amertume dans les paroles de Petrescu.) ... nous ne sommes pas ensemble quand ça va mal.

— Et c'est...

— Et c'est cool.

Tanase se représenta Natalya, bouche ouverte au-dessus du gland. Elle devait ressembler au Sphinx de la mythologie, attendant la bonne réponse. Constantin ricana. Il avait fini de rédiger son ordonnance.

Sur la bande, le lieutenant recommença à souffler bruyamment, plusieurs fois, puis le silence se fit.

Une phrase, une simple petite phrase se mit à tourner dans la tête de Tanase :

Il a tiré toutes ses cartouches, chuchota Constantin en s'approchant de la fenêtre, qu'il ouvrit précautionneusement.

Il s'assit sur le rebord et regarda en bas. Ni le défunt major Édouard, ni le trois fois mort et ressuscité stagiaire Andronic ne virent sur l'écran noir et blanc de leur bureau le clin d'œil que Tanase adressa à la caméra cachée avant de se précipiter, tête la première, du septième étage.

Tanase vola très longtemps. Au début, le soleil éclatant s'épanouit en arc-en-ciel dans ses yeux, avant de s'épaissir telle de la gelée, et de murmurer à la manière d'une sirène. « L'éternité, l'éternité, l'éternité », chuchotait Tanase en tombant à toute allure. Secouant la tête, il remarqua qu'un pétard avait explosé dans la rue. Huit dirigeables colorés flottaient sous le plafond céleste. En bas, des Chinois de carnaval agitaient des rubans rouges au bout de perches vertes. Une baleine gargouillait au loin tandis que dans son cerveau fleurissait une énorme rose blanche : voilà, elle avait enflé, puis s'était déployée au maximum, avant de flétrir et de tomber. Des ballons orangés se dispersèrent en l'air.

La poitrine de Constantin Tanase rencontra l'asphalte.

43

Il y avait quelque chose qui clochait dans l'entrée de l'immeuble. Et dans la cage d'escalier. La porte était de guingois, la fixation du gond supérieur arrachée, comme si quelque Minotaure local, pris de boisson, avait cherché à la faire sauter d'un coup de corne enragé. Inclinant la tête, Petrescu examina attentivement la poignée déboîtée de la porte et tendit une main précautionneuse vers le chambranle. Celui-ci oscillait lui aussi. Petrescu se retourna : une étrange créature le regardait depuis la vitre qui délimitait le cagibi où l'on séchait le linge et où l'on entassait des caisses et tout un bric-à-brac. Une créature maigre au sexe difficile à déterminer. La nuit qui tombait à toute allure dissimulait la moitié de son visage, mais Petrescu distinguait des paupières maquillées d'une épaisse couche de bleu, tandis que le front était doré. Dans la pénombre, on apercevait un casque, un costume blanc – un petit drap ou une longue chemise –, des jambes robustes, des sandales à lanières. Depuis l'époque d'Hermès, seules les femmes en portaient de semblables. Les sandales étaient dorées et de petites ailes papillotaient avec une gaieté inattendue à côté d'elles. C'était bien lui qui regardait Petrescu depuis la vitre : Mercure le trompeur, le Messager. Avec, pendant tristement au bout de son bras, la corne tortillée dans laquelle il soufflait pour communiquer la volonté des dieux. Et à ce moment-là, Petrescu, qui s'était costumé ainsi – alors qu'il n'en avait nulle envie – pour complaire à Natalya, commença à se dire que ce déguisement était trop incongru. Quelque chose avait fait irruption dans l'Attique qui l'enveloppait tel un nuage et l'isolait de tout le reste alentour. Et ce quelque chose ressemblait à la réalité.

— Déguise-toi en Mercure, lui avait-elle demandé. On va se faire une petite fête un peu inhabituelle, ce soir. Style nouba sur l'Olympe. Suivie par un accouplement forcené, bien entendu.

— Quoi ? s'était exclamé Petrescu, interloqué.

— Oh là là, avait-elle répondu en soupirant. Ne me dis pas qu'on ne vous a pas expliqué qui était Mercure, à l'Académie de police ?

— Ce serait plus approprié pour une école de commerce, s'était insurgé Petrescu. Si tu savais comme ton petit projet sent la province !

Au bout du compte, néanmoins, elle avait fini par l'embobiner.

Envoyant un coup d'épaule contre la porte, Petrescu pénétra bien plus facilement qu'il ne s'y était attendu dans le couloir de l'appartement. Bien trop facilement, même. Il passa telle une tornade à travers les pièces. Rien. Si tout avait été laissé en l'état, il n'aurait pas soupçonné quoi que ce soit. Comme pour le priver de la dernière possibilité illusoire d'espérer, Natalya avait dépouillé sa maison. Vide. Plus de meubles, une cuisine nue, même les papiers peints avaient disparu. Dans la salle de bains, on avait ôté la baignoire et la cuvette des WC. Il n'y avait plus de porte entre les pièces, mais Petrescu devinait déjà qu'avant d'emporter les portes, on en avait démonté les vitres.

On avait même arraché le carrelage de la salle de bains. Par endroits, le ciment s'était fendillé. Dans l'une des fissures pointait, tel un petit morceau de viande coincé entre des dents, un bout de papier plié en deux. Se débarrassant de sa corne de bouffon, Petrescu ôta son casque et, dans un chapelet de jurons silencieux, il se pencha sur la feuille, la retira, la déplia. *Du papier massicoté, désagréable*, constata le lieutenant avec aversion. *Format A4*. Même les deux phrases, composées sur ordinateur puis imprimées sur cette feuille, semblaient déplacées. Elles étaient littéralement collées au bord supérieur de la page. Tout cet espace vide choquait le regard. La première phrase avait été écrite en police 14 : « Trouve-moi. » La deuxième, en 12 : « Si tout cela a un sens à tes yeux, bien entendu. »

Passant tel un soufflet sur la joue empourprée du lieutenant – l'épaisse couche de maquillage ne put suffire à masquer sa rougeur –, la feuille tomba sur le ciment. Avec cette lettre, Natalya en avait sans conteste flanqué une bonne à Petrescu.

Touche finale : même l'eau avait été coupée dans l'appartement. Et le lieutenant ne pouvait se débarbouiller du maquillage qu'il avait sur le visage.

Ouvrant les cadres de la fenêtre (vides, eux aussi, bien entendu), Petrescu observa longtemps la cour bordée de hauts immeubles – des fourmilières. Sous sa fenêtre, trois hommes poussaient une voiture, une femme fumait près du kiosque qui flanquait un petit terrain de football. Elle surveillait la poussette où dormait son enfant. Des adolescents jouaient au foot. Petrescu se dit que le crépuscule n'allait pas tarder à céder sa place à la nuit, pourtant il faisait encore très chaud. Le maquillage dégoulinait sur sa joue gauche.

Bienvenue dans le mirage de la réalité, se dit-il à haute voix, avant d'ajouter, plein d'une rage impuissante : *Chienne !*

Après s'être tant bien que mal essuyé avec sa chemise et avoir repoussé les lanières de ses sandales, il alla frapper chez la voisine. Elle ouvrit, et Petrescu vit enfin à quoi elle ressemblait : une vieille femme à la haute coiffure sans doute faite de cheveux postiches, qui le dévisageait d'un air effrayé par-dessus sa chaînette qu'elle ne désirait toujours pas ôter.

— Elle est partie. Hier.

— On jouait ensemble au théâtre, mentit Petrescu, avant de préciser, pour se montrer plus convaincant : Bien entendu, pas dans un vrai théâtre, mais comme ça, dans une troupe d'amateurs…

— A-aah ! (Pour une raison curieuse, la voisine goba aussitôt le mensonge et se calma dans la foulée.) Enchantée.

— Elle n'a pas laissé d'adresse, rien ?

— Rien du tout. (La vieille se couvrit les yeux.) Elle est partie sans un mot, sans même me dire adieu.

— Peut-être que les nouveaux acheteurs sont au courant de quelque chose ?

— Mais il n'y a pas d'acheteurs.

Une deuxième gifle invisible projeta la tête de Petrescu légèrement sur la gauche.

— Ah, donc elle était… locataire ?

— Bien sûr. (Et la vieille, suspicieuse, de froncer de nouveau les sourcils.) L'appartement n'est pas à elle. Seulement, les propriétaires sont absents. Ils ne reviendront que dans un an. Et en attendant, ils m'ont demandé de garder un œil sur leur logement.

— Peut-être que vous pourriez vous renseigner...

La porte se referma, la vieille tortue avait de nouveau rentré la tête dans sa carapace, et Petrescu descendit lentement l'escalier, pliant une jambe après l'autre pour que l'élan fasse basculer le poids de son corps comme il se devait. La porte du hall d'entrée était entrouverte. Bien que la lumière fût crépusculaire, le lieutenant se protégea les yeux d'une main.

Et sortit de l'immeuble.

44

— Hé, Petrescu! (Le cordon de flics se gondolait.) Pourquoi tu tires la tronche? T'aurais de la peau de balle dans ta poche?

— Dans ma poche, répliqua Petrescu sans s'émouvoir, y a vingt-cinq mille dollars.

Le cordon se bidonna de plus belle. Planté au bord de la large route qui reliait l'aéroport de Chisinau à la ville, le lieutenant Petrescu souffrait. Ce jour-là, tous les policiers de la capitale devaient border l'avenue, à la manière de nœuds papillons noirs (étant donnée la couleur de leur uniforme). Le secrétaire américain de la Défense, Rumsfeld, arrivait en Moldavie. Après deux jours passés en vaines recherches de Natalya, Petrescu s'était convaincu que la jeune femme avait disparu sans laisser de traces – enfin, cette disparition était fort probablement un départ volontaire, et il avait sombré dans la torpeur. À présent, même les plaisanteries de ses collègues le laissaient de marbre. Le lieutenant surveillait d'un œil apathique la voie sur laquelle le cortège de leur prestigieux visiteur devait apparaître d'une minute à l'autre, et chassait les badauds du trottoir. Les quelques mois de son étrange relation avec Natalya avaient eu sa peau, il le sentait. Ayant partagé avec le journaliste Lorinkov l'argent de secours du SIS, le lieutenant avait espéré que Natalya s'en irait avec lui ; et quand il ne l'avait pas trouvée chez elle, il avait compris que son cœur était brisé. Une voix de femme haut-perchée lança dans son dos :

— Bon, alors, dans combien de temps on pourra la traverser, cette route ?

Petrescu se retourna et, fixant Natalya du regard, lâcha la phrase qu'on lui avait fait apprendre par cœur :

— Dans une demi-heure. Écartez-vous du trottoir, la police de Chisinau vous présente ses excuses pour la gêne occasionnée.

45

— Alors comme ça, fit Natalya avec un sourire, tu m'as cherchée, lieutenant ?

Petrescu haussa les épaules et se tourna de façon à lui présenter son profil.

— Si tu ne voulais pas que je te cherche, pourquoi tu m'aurais laissé une note ? répliqua-t-il, en s'efforçant de paraître froid.

— Caprice, grimaça la jeune femme.

— Où tu allais ? demanda Petrescu avec indifférence.

— À l'aéroport, répondit Natalya après réflexion, ce qui signifiait qu'elle disait vrai. Et alors ?

— Pourquoi tu es venue ici ?

Intriguée par sa question, Natalya haussa les sourcils.

— Y a un bus qui va à l'aéroport depuis l'arrêt juste devant ton immeuble, explicita Petrescu d'un air sombre. J'en déduis donc que tu es venue dans le simple but de vérifier de quoi j'avais l'air.

— OK, peut-être.

— Tu en as tiré satisfaction ?

— Oh, lieutenant, dans tous les sens du terme…

— Putain.

— Et peut-être bien que je suis tombée amoureuse de toi, qu'est-ce que t'en penses, Petrescu?

Faisant preuve d'un tact peu commun, les collègues du lieutenant parurent se concentrer sur la sécurité de la route. C'était extrêmement viril de leur part, car personne n'avait jamais pris un cortège d'assaut en Moldavie.

— Mais dans ce cas, pourquoi tout ce... (Petrescu chercha en vain le mot idoine, mais faute d'y parvenir, le remplaça par un terme universel.) ... merdier?

— L'amour peut effrayer, Sergueï, expliqua Natalya. Oh, et puis pourquoi tu rages?

— Je rage?

— Oui, tu rages. T'as pourtant obtenu ce que tu voulais, non?

— Eh bien, peut-être que je ne voulais pas seulement ça... bredouilla Petrescu. C'était donc si difficile de me dire : « J'ai pas juste besoin de sexe, mais aussi de... », comme une personne normale?

— Et c'était si difficile à deviner?

Natalya était tellement courroucée qu'elle s'était mise à hurler.

— Tu... (Détestant les scandales publics, Petrescu bouillonnait de fureur.) Tu te comportes comme une harengère. Et avant, tu te conduisais comme une putain. Écoute, ça ne t'arrive jamais d'être normale?

— Normale, c'est comment? Pouilleux comme toi?

— Moi, je suis pouilleux?

— Oui.

Petrescu ne répliqua rien et se détourna.

— Fous le camp! siffla-t-il, furibond.

— Au revoir, chuchota Natalya.

— Va te... (Petrescu réfléchit.) ... faire voir.

— Que ta langue se fige !

Le lieutenant déglutit, alors même qu'il n'avait rien dans la bouche, et regarda sa montre. Il n'entendit pas le bruit caractéristique de pas qui s'éloignaient.

— Eh bien ? demanda-t-il en se retournant.

Natalya pleurait. Des simagrées, de toute évidence. Le lieutenant l'entraîna à l'écart de la route.

— Si. Tu. Recommences… (Il détachait chaque mot comme s'il lui faisait la dictée.) … Quelque chose. Dans. Ce. Genre. Je. T'enterre. Vivante.

— Dans. La. Terre, le taquina-t-elle. Non. Laisse-moi. Plutôt. T'embrasser.

Quand Petrescu rouvrit les yeux, le cortège était en vue. Natalya l'embrassa de nouveau.

— Tu voulais aller où ? demanda Petrescu.

— En Espagne ?

— T'es pas folle ? Ils ont posé une bombe dans le métro, là-bas. Et c'est le bordel partout en Europe, s'enflamma-t-il pour la dissuader. Laisse aussi tomber les îles. Regarde, en Angleterre, par exemple, c'est fondamentalistes, services secrets et compagnie. Les États-Unis et la Russie sont en plein marasme. C'est partout pareil, on a affaire soit à des terroristes, soit à des services secrets. Même ici, en Moldavie, c'est kif-kif.

— Mais où se tailler, alors ? demanda Natalya.

Petrescu sourit et, ôtant sa tunique qu'il jeta dans un parterre de fleurs, il déclara :

— Mon amour, je connais un merveilleux petit endroit très calme… Et pendant le trajet, tu liras le livre qu'un drôle de type a écrit sur nous. Ça s'intitule *Le Dernier Amour du lieutenant Petrescu*.

46

— La prochaine fois, mets-y plus de poivre, demanda Oussama en posant son couteau sur la table.

— Oh oui, votre grandeur, approuva pieusement Saïd en s'inclinant.

Oussama grimaça. Depuis le jour où il avait assisté à la réunion à l'université, tous les employés du kiosque lui témoignaient de la déférence. Et plus que nul autre, aussi bizarre que cela soit, le Moldave Sergiu. L'Afghan était excédé par toutes ces génuflexions.

— Qu'est-ce qui se passe, sur l'avenue ? demanda Oussama à Sergiu.

Il avait parlé d'une voix douce, en se caressant la barbe.

— Un Américain venu en visite, répondit Sergiu, les yeux baissés. Un type important.

— Allah est grand, répliqua Oussama en prenant un chawarma sur la table, avant de quitter le kiosque.

Depuis dix-huit mois qu'il vivait à Chisinau, Oussama n'avait quitté qu'une seule fois le kiosque. Pour se rendre à l'université. Or voici qu'il venait de sortir à nouveau. Saïd s'agenouilla et se mit à prier. Le pauvret pleurait à chaudes larmes.

— Le martyr va mourir sous mes yeux, marmottait-il. Il va mourir et monter au paradis, tandis que l'âme de l'Américain péri de sa main descendra à coup sûr en enfer, où elle se fera ronger par des chiens hideux.

Sergiu comprit que la boucle serait bientôt bouclée. Ce fou furieux de Ben Laden (*Normal*, songea Sergiu, *y a de quoi perdre la boule à force d'inaction !*) allait attaquer le cortège, on le tuerait et lui, Sergiu, recevrait vingt-cinq millions de dollars, divorcerait... Il fut distrait de ses pensées par les lamentations bruyantes de Saïd :

— Le martyr va mourir, le martyr va s'envoler pour le paradis, oh...

— Ta gueule, le rabroua-t-il, assortissant son injonction d'un coup de poing. Espèce de bougnoule au cul noir !

Parti dans ses lamentations, Saïd n'y accorda aucune attention. Sergiu le tira par l'oreille, l'obligea à tourner le visage vers lui et articula d'une voix forte :

— Ta gueule, saleté d'Arabe ! Butor non moldave !

Saïd en resta bouche bée de stupeur. On entendit le bruit s'intensifier dans la rue. Le cortège s'acheminait vers le kiosque. Oussama s'approcha du cordon de policiers et se planta derrière l'un d'eux. Sans plus penser à rien, Sergiu et Saïd observèrent Ben Laden. Les voitures du cortège qui approchait freinèrent enfin au niveau du virage. Des cris se firent entendre dans la foule. Oussama ben Laden leva le bras et projeta son chawarma contre le pare-brise de la voiture qui, selon toute apparence, transportait Rumsfeld. Le cordon de police et les badauds se figèrent. Les voitures s'arrêtèrent. Un homme osseux, vêtu d'un costume de belle facture, sortit du véhicule dont le pare-brise dégoulinait de sauce dans un méli-mélo de chou, tomates et morceaux de viande. C'était Rumsfeld. Posant les yeux sur Oussama, l'Américain lui jeta d'un air désemparé :

— *Waow, Moldavian antiglobalist!*

À quoi Oussama répondit dans un excellent anglais :

— Monsieur Rumsfeld, je ne suis pas d'accord avec la politique menée par votre État au Proche-Orient! J'ai souhaité par ce geste exprimer mon mécontentement!

Sur quoi il tourna les talons et retourna couper ses oignons dans le kiosque. Alors seulement, les gardes abasourdis de l'Américain le protégèrent de leur corps et de valises blindées, avant de le transférer dans une autre voiture. Sans savoir trop pourquoi (et il se posa plus d'une fois la question par la suite), Rumsfeld trempa un doigt dans la sauce et la goûta. Délicieuse! Le cortège reprit sa route. La police s'empressa de confisquer les appareils des photographes et cameramen. Une demi-heure plus tard, la ville avait repris son apparence habituelle.

— Je ne suis pas Oussama ben Laden, affirma l'Afghan à ses collègues, lorsqu'il reprit son couteau et ses tomates. Même si je m'appelle effectivement Oussama. Et puis...

Les hommes avancèrent vers l'Afghan, qui se rembrunit.

— À mon avis, vous avez eu tort de tuer Ahmed.

Les hommes éminçaient les légumes, tranchaient la viande, confectionnaient la sauce et préparaient leurs chawarmas dans le silence le plus complet. À 21 heures, comme d'habitude, ils lavèrent la vaisselle, les couteaux, et se préparèrent à partir. À 21 h 15, la section d'intervention spéciale du SIS prit le kiosque d'assaut. L'ordre en avait été donné par Anatole Botnaru, le nouveau chef du service.

En mettant de l'ordre dans les papiers de Tanase, mort avant l'heure, Botnaru était tombé sur les enregistrements attestant la présence d'Oussama ben Laden en Moldavie, et avait décidé de prendre l'affaire en mains.

L'assaut se déroula sans encombre. Oussama fut tué d'une balle dans la nuque et Saïd criblé de tirs en rafales. On ne put descendre Sergiu car il était déjà mort : Saïd l'avait égorgé en représailles pour le « saleté d'Arabe ». Les corps de Saïd et de Sergiu furent enterrés dans de vieilles tombes du cimetière arménien. L'homme que tous considéraient comme étant Oussama ben Laden fut expédié au nord de la Moldavie et bazardé dans le Dniestr.

Les médias du monde entier annoncèrent qu'Oussama ben Laden avait été retrouvé et éliminé, sans faire mention du pays où l'événement s'était déroulé. Le nouveau directeur du SIS fut décoré, les participants de l'assaut reçurent une médaille.

Et la Moldavie un crédit sans remboursement d'un milliard et demi de dollars.

47

La marée descendante! Oh oui, naturellement, je ne le nie pas. Mais dites-moi, de grâce, d'où j'aurais pu le savoir ? Hein, d'où ? Car moi, Noé, j'avais passé ma vie entière sur terre. Jamais il n'y eut de marin dans notre lignée. Demandez-moi ce qu'est un astrolabe, je ne saurai que répondre. Du reste, mon voyage à bord du Salut *n'enrichit nullement le bagage de mes connaissances dans ce domaine. Tous ces gouvernails, sud-ouest, rhumbs et autres périscopes demeurèrent à mes yeux le même galimatias monstrueux qu'ils étaient au départ. Cela ne m'intéressa jamais. Je fus toujours attiré par la terre, même si, bien sûr, cette préférence ne se manifesta pas d'emblée.*

Je me souviens de mon père qui nous forçait, nous ses enfants – quatorze individus… Que voulez-vous, nous étions une famille patriarcale, pendant la période de transition entre le régime de la communauté primitive et le régime féodal, et même dans sa phase précoce ! Bref, quand il nous forçait à travailler comme des damnés sur nos terres, je m'opposais à lui. Bien entendu, ma protestation présentait un caractère silencieux. Il n'aurait plus manqué qu'il en allât autrement ! Si le fils du chef de la communauté avait osé exprimer ouvertement le mécontentement que lui inspiraient les décisions de son père, là, en Judée, cinq mille ans avant la naissance du Christ, on l'aurait aussitôt lapidé jusqu'à la mort. Et personne n'aurait bronché. Un de plus, un de moins, quelle différence ? La raison ne réside pas dans quelque férocité innée de notre tribu qui, au cours des années de ma jeunesse, passa d'un mode de vie nomade à un mode de vie sédentaire (mon paternel, paix à son âme, y contribua d'ailleurs de toutes les manières possibles) ! Cela s'explique simplement par l'effroyable mortalité infantile d'alors. Nous engendrions des enfants par dizaines afin qu'au moins deux ou trois d'entre eux atteignent leur majorité, au lieu de la célébrer dans une tombe sablonneuse. Les gens crevaient comme des mouches. Les maladies, la famine, les guerres incessantes… Non, non, inutile de hocher la tête avec compassion. Je le vois bien, vingt siècles de plus n'ont rien changé sous ce rapport. Je suppose que Dieu s'est trompé dans ses calculs en espérant que l'humanité finirait quand même par mûrir. Mais ainsi sommes-nous faits, nous les humains…

Mais donc voilà, si dans mon enfance, je n'étais pas attiré par la terre, cela ne signifie pas pour autant que j'étais tenté par la mer ! Bien plus, je n'imaginais même pas ce que ça signifiait, « la mer ». Évidemment, vous allez me parler de la mer Morte, mais excusez-moi, elle a autant de rapport avec l'univers marin que les cochons de mer. Ce n'est pas que je sois un antipatriote, je suis réaliste et pragmatique, c'est tout. Parlons franc : pour ce qui est de la mer, aucun Sémite n'y entend rien, à l'exception des Phéniciens. C'est d'ailleurs pourquoi je ne trouve point étrange que Jahvé ait choisi ce moyen précis pour anéantir le peuple qu'il avait élu, mais qui n'avait pas répondu à ses espoirs de grandeur. Oui, il décida de noyer les Juifs dans une mer que ceux-ci n'avaient jamais vue. Cela veut-il dire qu'il désirait noyer tous les hommes ? Non, bien sûr. Seulement les Juifs.

Car de toute façon, il ne considérait pas les autres comme des humains.

À quoi cela rimait-il de les noyer, dans ce cas? me demanderez-vous. Et je vous répondrai : « On ne fait pas d'omelette sans casser des œufs. » Il ne pouvait tout de même pas créer un mini-déluge à l'usage exclusif des Juifs! Il fallut donc nettoyer tout le monde d'un coup de râteau. Si bien que le reste de l'humanité souffrit à cause du peuple élu de Dieu. Seulement, je vous en conjure, n'en soufflez mot à personne. Si cette nouvelle information se propage, l'antisémitisme ne disparaîtra jamais...

De façon générale, pendant mon enfance, je n'aimais guère le travail de la terre. Avec le temps, tout changea. Non, je ne maîtrisai jamais l'art de gratouiller dans les plates-bandes, en revanche, je ressentis du goût pour l'élevage des bovins. Ce qui ne plaisait guère à mon papounet. Selon les critères de son époque, il était bien sûr un véritable réformateur. Il considérait qu'il était grand temps de mettre un terme à notre mode de vie nomade, et à la place, de s'assurer la possession de grandes terres à cultiver. Ils étaient nombreux à comprendre qu'il avait raison, mais par souci d'équité, je noterai que d'autres ne parvenaient pas à se réconcilier avec le progrès. Ils causèrent pas mal de tracas à mon père, en sa qualité de chef de notre petite tribu. Un certain Jeshua, d'origine douteuse, se montra à cet égard particulièrement zélé; la tribu ne le considérait pas tout à fait comme subalterne, mais il n'appartenait certainement pas aux instances dirigeantes. Il ne cessait de pérorer, prétendant dans ses discours que l'occupation des terres contrevenait aux principes divins, dans la mesure où le sol appartenait à tous de plein droit. Tous avaient donc le droit de l'utiliser. Au comble de l'irritation, mon père concluait alors à la place de Jeshua que suivant cette logique, il ne nous restait d'autre option que de demeurer un troupeau de loqueteux voués à vagabonder en rond au fil des siècles, avec un petit bric-à-brac pour toute richesse.

Si mon cœur comprenait Jeshua, ma raison s'accordait avec mon père.

Ce qui me plaisait par-dessus tout, c'était de bourlinguer aux confins de notre petit monde. D'un autre côté, si nous n'avions pas interrompu à temps nos errances, nos voisins sédentaires auraient fini par nous assujettir. En somme, la transition classique entre l'élevage nomade et l'agriculture sédentaire. Avec tous les conflits d'intérêts qui en découlaient. En définitive, cela ne valut rien de bon aux adversaires politiques de mon père. Un beau jour, il les réunit tous, Jeshua en tête, et les invita à un banquet. Eussent-ils été un chouïa plus intelligents, ils auraient tout de suite compris que l'affaire n'était pas nette. Mais toujours aussi naïfs que des enfants, ils persistaient dans leur vision inadéquate du code d'honneur des nomades : un homme ne quitte pas sa selle. Suivant ce code, la vie d'un invité est sacrée pour un nomade. En principe, personne ne songeait à mettre cette règle en cause. Même mon père en convint, quand ses domestiques tirèrent les cadavres ensanglantés de Jeshua et de ses acolytes de notre tente.

— Seulement, pour leur malheur, fiston, expliqua-t-il en me soulevant le menton, je ne suis plus nomade depuis longtemps. Et leurs codes sont lettre morte pour moi... Alors maintenant, bouge-toi et aide les domestiques à jeter ces cadavres le plus loin possible. Mais prends bien garde à ne pas toucher ces corps avec tes mains !

Après cet épisode, qui assit le pouvoir de mon père, son autorité parmi les tribus des environs ne fit que grandir.

Et certaines d'entre elles passèrent sous ce qu'on appelle à présent notre « protectorat ». Je suis obligé de reconnaître que les innovations paternelles produisirent des changements dans notre vie, et plutôt dans le bon sens. Quatre ans après notre sédentarisation, nous avions plus de nourriture que nous ne pouvions en manger jusqu'à la récolte suivante, ce qui était une première. Le souvenir du méchant Jeshua et de ses disciples était couvert d'opprobre. Les ultimes velléités d'opposition disparurent.

Quand mon père mourut, je pus enfin réaliser mon rêve de toujours : m'occuper d'élevage bovin. Mais nous ne laissâmes pas tomber l'agriculture pour autant, ce qui eut pour résultat d'accroître considérablement notre prospérité. On se mit à parler de moi comme d'un jeune chef intelligent et perspicace. Les anciens étaient surtout impressionnés de ce que j'eusse introduit mes innovations après et non avant la mort de mon père, et par conséquent que j'eusse montré du respect envers le passé et non déclenché une guerre civile. Quoique, je l'avoue honnêtement, il m'en coûtât fort. Dès sa cent septième année (et il mourut à cent vingt ans), papounet devint absolument insupportable. Capricieux, irascible, intolérant envers toute opinion dissidente. En bref, le tyran asiatique classique. À petite échelle, cependant, ce qui était d'autant plus terrifiant : il est plus facile d'être le sujet du tyran d'un immense pays que celui du despote d'une petite tribu. Dans le premier cas, vous avez bien moins de chances de tomber sous la patte brûlante du dirigeant. Vers sa cent douzième année, papounet sombra définitivement dans la sénilité et interdit tout élevage. Je dus attendre huit années pour le restaurer.

Une broutille pour les aïeuls de la Bible, me direz-vous. Non, pas une broutille, loin de là. Huit années, et huit années sous la surveillance sans relâche des mouchards à la solde d'un despote cauchemardesque, d'un tyran colérique qui avait mis à mort quatre de ses fils (ceux-ci, voyez-vous, semblaient ne pas se montrer assez respectueux envers leur papounet), ça n'a rien d'une broutille. Je risquai ma vie à chaque heure de ces huit années.

Rien d'étonnant à ce que je me misse à boire.

Et si abondamment que, comme vous l'avez déjà compris, cela fit ricaner des créatures aussi bénignes que les cochons de mer. Néanmoins, même en m'adonnant à la boisson, je dus me montrer prudent : si mon père avait appris mon alcoolisme, il ne m'aurait jamais laissé hériter du pouvoir. Aussi m'ingéniai-je à boire de telle façon que personne (pas même ma femme) ne le remarquât. Pour commencer, je m'octroyai une tasse de réconfortant, puis deux, et ensuite trois. Plus tard, ce furent quatre, et par-dessus, les restes de vin qui traînaient à la maison. Peu à peu, beaucoup de gens commencèrent à s'étonner de la couleur rubiconde de mon visage et de mes continuels maux de tête. Je fus obligé de forger une fable, comme quoi mon organisme était très sensible aux changements météorologiques. Du reste, c'était bien le cas, les ivrognes sont extrêmement réceptifs aux moindres oscillations de la pression atmosphérique. Et oui, la tête me faisait souffrir en permanence : je n'ôtais presque jamais un bandeau humide, imbibé d'eau froide et de vinaigre.

Cela étant, jamais je ne sentis l'alcool. Jamais ! Le moindre fumet, et papounet aurait ordonné qu'on me lapide en place publique. Un fils alcoolique, quel déshonneur pour le prince de la tribu ! Et il aurait passé outre toutes mes justifications, comme quoi mon alcoolisme était la conséquence de sa défiance, de son autoritarisme et de son intolérance. Ce n'était pas qu'il fût incapable d'admettre des arguments rationnels, non, papounet n'était pas un imbécile, il n'aurait tout simplement pas compris. Cette explication n'appartenait pas à son monde, à son système de pensée. Nous aurions discuté dans des langues différentes. Il était aussi entêté qu'un bélier, cet homme, c'est moi qui vous le dis. Et cela ne m'inspire pas la moindre honte.

Mais oui, revenons à l'odeur. Excusez-moi, je saute du coq à l'âne. Alors voilà, pour éviter son apparition, je buvais loin de la maison. Je m'en allais dans le désert vers 17 heures, afin, comme je l'expliquais aux miens, de demeurer dans la solitude. Bien sûr, on me filait aussi dans le désert – à seule fin de savoir si je n'y complotais pas en compagnie de quelque opposant pour renverser mon précieux papounet de son siège de chef. Aussi les comptes-rendus de ses espions ne suscitaient-ils jamais le moindre soupçon chez mon père : on lui rapportait que je m'installais quelques heures sur une butte, où je conversais avec le ciel en buvant un peu d'eau de temps en temps à l'outre que j'avais apportée (je dus pour ce faire me créer une réputation de buveur d'eau).

Papounet fut si impressionné qu'il décida de voir en moi... un futur prophète. Oh, bien sûr, seulement « futur », car lui vivant, il n'aurait jamais supporté la présence d'un prophète à ses côtés !

Autrement dit, la pensée d'avoir engendré un homme communiquant sans façon avec Dieu le flattait, mais comme une perspective, juste comme une perspective. Le voisinage d'un prophète menaçait son pouvoir. Cependant, il ne pouvait se résoudre à me tuer parce que cela aurait nui à sa gloire posthume. Aussi papounet avait-il trouvé ce qui lui semblait être un entre-deux idéal. M'ayant fait venir auprès de lui, il me confia sans fard ses douleurs morales (il n'y avait en lui nulle trace de ce que vous appelez à présent des complexes) et me demanda de tenir ma langue concernant les discussions que j'avais avec Dieu. « Quand j'aurai quitté ce monde mortel, tu pourras cesser de les cacher », conclut-il. Que pouvais-je faire ? Me prosterner et promettre que je remplirais la volonté paternelle. Un point, c'est tout. Cela me répugnait-il ? Eh bien, pas du tout. D'autant que, courbé contre le sol poussiéreux, il m'était plus commode de dissimuler mon sourire.

Car je n'entretenais aucune conversation avec Dieu. Je me contentais de discuter avec moi-même quand l'alcool s'était bien propagé dans mes veines. Et ensuite, dès que le grand air avait peu à peu dissipé mon ivresse, je rentrais chez moi, m'efforçant de ne rencontrer personne en chemin ; j'ingurgitais dans les quatre litres d'eau glacée, après quoi je vomissais. Puis encore de l'eau, et ainsi de suite jusqu'à ce que mon organisme se fût entièrement purgé de l'alcool.

Et ainsi en alla-t-il pendant huit ans.

Vous comprenez maintenant qu'à l'heure de la mort de mon père, j'étais devenu un alcoolique fini, incapable de passer une journée sans me saouler complètement. Il va sans dire que la mort de mon père me réjouit au plus haut point. Vous supposez que la première pensée qui me vint à l'esprit fut d'arrêter enfin de boire ? Impossible : mon accoutumance physique à l'alcool était alors absolue. Je me réjouissais au contraire de la possibilité qui m'était offerte désormais de boire autant que je pourrais en avaler, sans plus me cacher de qui que ce soit. Et il faut le reconnaître, pendant les premières années, j'excellai en la matière. Mais les tribus me le pardonnaient : je réussis à convaincre certains anciens que cela m'était simplement nécessaire dans ma communication avec Dieu, les autres se moquaient bien de mon ivrognerie, parce que, comme je l'ai déjà expliqué, la levée par mes soins de l'interdiction paternelle frappant l'élevage avait considérablement augmenté notre prospérité déjà considérable sans cela.

Donnez à manger aux hommes et ils vous pardonneront tout.

Hélas, avec Dieu, les choses se mirent à clocher. Non que je ne crusse pas du tout en lui, mais – comprenez-moi bien – pendant mes cent vingt années de vie avant le Déluge, Il ne me donna aucun signe de son existence. Bien entendu, cela ne signifie nullement que je niais cette dernière pour la simple raison que nous n'avions pas eu l'occasion de faire connaissance. Vous ne vous hasarderiez pas à déclarer que la Judée est une légende, simplement parce que vous n'y êtes jamais allés. Non, je ne suis ni aussi primitif ni aussi stupide que certains animaux insupportables essaient de le démontrer – animaux sauvés par moi, ayons l'honnêteté de l'admettre. Certes, au prix de quelques désagréments, mais sauvés quand même.

J'étais plutôt croyant, mais en l'absence totale de communication avec Lui, je finis plus ou moins par L'oublier. Vous en auriez fait de même. On m'avait continuellement rabâché qu'Il nous avait créés. Oui, d'accord, ce n'est pas mal. Je ne minimise pas Ses services et je Lui en suis reconnaissant. Mais, bon sang, Il ne pouvait pas me prêter un minimum d'assistance? Surtout à l'approche du Déluge qu'Il nous avait envoyé… À ce sujet, je reste persuadé jusqu'à ce jour que nous, les hommes, n'avons pas mérité ce malheur. Deux poids, deux mesures. Voilà toute l'affaire. Il noya les hommes parce qu'ils s'étaient vautrés dans le péché, d'après ce que raconte la Bible. Excusez-moi, mais ils n'en étaient jamais sortis. S'Il voulait agir en toute équité, Il aurait dû commencer par Adam et Ève, qui avaient commencé à pécher dès l'Éden. Par voie de conséquence, Il se serait allégé la tâche : le Déluge aurait été de moindre importance.

Allons donc, Il aurait même pu faire l'économie du Déluge. Il n'avait qu'à solliciter l'aide des archanges pour noyer ce couple dans l'Euphrate, et l'affaire était réglée.

Bon, soit, on va considérer que le péché d'Adam et de sa bien-aimée n'était pas suffisamment grave. D'après moi, ce n'est même pas un péché. Peut-être eurent-ils une petite fringale et cueillirent-ils le premier fruit qu'ils aperçurent sur l'arbre. J'aimerais bien savoir si cette considération ne Lui traversa jamais l'esprit. Enfin, laissons les aïeuls de côté. Mais voyons… Caïn. Son péché ne fut-il pas affreux ? Tuer son frère, que peut-il y avoir de pire ? Mais même alors, il n'encourut aucun châtiment. Absolument aucun. Quoi ? Ah, Caïn fut exilé, la belle affaire, mais en quoi s'agit-il d'un châtiment ? À cette époque, si l'on en croit la Bible, la terre n'était peuplée que d'une centaine ou deux d'humains, grand maximum. Et il n'y avait rien de terrible pour un homme dans le fait de se voir prié de déménager ailleurs (avec femme et enfants ! Confortable exil, ne trouvez-vous pas ?). À deux ou trois cents kilomètres de là. Non, ce châtiment − s'il est seulement possible de le considérer comme tel − fut trop doux, à mon avis. Ce fut pourtant ainsi que l'on « châtia » Caïn. Pas de Déluge, ni de près ni de loin, notez bien.

Alors que tous ces gens qui ne firent rien d'autre que de gruger le consommateur, prier avec du retard, faire preuve d'avarice, tromper à l'occasion mari ou femme, mais − j'attire votre attention là-dessus − qui jamais n'assassinèrent ni frère ni sœur ni mère, bref jamais ne tuèrent, ceux-là, Il décida de les noyer.

J'ai comme dans l'idée (et je dois le reconnaître, ce soupçon ne m'a jamais quitté) que si Dieu se comporta trop mollement avec Adam, Ève et leurs rejetons, ce fut parce qu'ils étaient en quelque sorte ses enfants. Les liens de parenté, voyez-vous, ça explique beaucoup de choses. Non, bien sûr, toute l'humanité ne descendit pas d'Adam, comme vous le supposez. Car Yahvé (Dieu, notre Dieu) était un prince féodal, le petit dieu d'une petite tribu dont descendirent nos tribus. Autrement dit, si tu es de la famille de Dieu, le seul danger pour toi, c'est que le ciel te tombe sur la tête, pardonnez-moi ce cruel calembour. De quelle justice peut-il être question dans ce cas ?

Mais Il ne se soucia jamais de justice. Et une fois qu'Il eut ourdi le Déluge, Il n'en garda même plus le souvenir. Voyezvous, il Lui déplaisait que nous nous souillions dans le vice et la fornication, et Il décida de laver son peuple de fond en comble. De le racheter, pour ainsi dire. D'après moi, un bain à l'issue fatale, ce n'est pas le châtiment le plus indulgent qui soit pour un malheureux qui a oublié de prier le samedi. Mais bien entendu, je n'en parlai à personne. Je n'essayai même pas d'y penser. Car en réfléchissant, on participe en quelque sorte à une discussion avec Dieu. C'est affreux de se sentir en permanence sous surveillance. Cela rend nerveux, je vous l'avoue. En outre, environ sept ans après la mort de mon père, j'en vins à la conclusion qu'il n'était pas tout à fait sorti de ma vie : il avait juste été efficacement remplacé par Dieu. Aussi ne me retrouvai-je pas plus libre, si l'on excepte la possibilité qui s'offrait dorénavant à moi de me saouler quand bon me semblait. Je reçus la liberté d'être alcoolique, ça oui.

Cela étant, ne prenez pas mes regrets concernant la boisson trop au sérieux. Car si je ne m'étais pas saoulé ce jour-là, je n'aurais jamais été au courant du Déluge à venir, et ne me serais donc jamais sauvé ni, avec moi, une foule immense d'animaux.

Les hommes ? Quoi, les hommes ? Selon vous, je ne procédai pas avec humanité en refusant de faire monter à bord les habitants des villages environnants ? Mais premièrement – et sur ce point-là je ne vais pas contredire le cochon de mer –, personne ne me crut quand je parlai de l'intention qu'avait Dieu de nous noyer tous. Deuxièmement – et sur ce point-ci, je suis obligé d'avouer une vérité bien amère pour moi –, l'âge venant, j'étais devenu misanthrope. Eh bien oui, les humains m'indisposaient. Oh non, cela ne signifiait point que je ne les aimais pas, au contraire. Mais ils m'indisposaient, je le formulerai ainsi. Si, si, je dis la vérité ! Si je ne les avais pas aimés, je n'aurais fait monter aucun membre de ma famille à bord du Salut. *Car j'avais encore moins de raisons de me montrer chaleureux à leur égard qu'envers des étrangers !*

Le fait est qu'on ne m'aimait guère, au sein de ma famille. Et ce, depuis toujours. Cela s'explique peut-être par le fait que mon père et moi étions très semblables, et que ma parentèle sentit dans ses tripes que la mort de papounet ne les débarrassait pas pour autant de la tyrannie familiale. Et ils avaient raison. Même si je n'approuvais pas les méthodes de mon petit papa, je les lui empruntai dès l'instant où je fus à la tête de la famille. Oui, des méthodes tyranniques. Dites-moi comment, sans cela, diriger une multitude de nomades ingouvernables, à peine descendus de leur selle, insolents en diable, bagarreurs comme des chiens enchaînés, menteurs et hypocrites ? Pour eux, tromper n'était rien : bien plus, c'était considéré comme une vertu. Mais que me sert de bavasser, regardez les Bédouins actuels. Des chevaliers des sables ? Peut-être, oui, mais entre eux seulement. Avec les étrangers, le code du nomade ne s'applique pas. Avec un autre nomade non plus, d'ailleurs. La seule possibilité de survivre et d'obtenir le

LE DERNIER AMOUR DU LIEUTENANT PETRESCU

respect, c'est de représenter une menace tangible. On ne vous respectera qu'à partir du moment où l'on vous craindra. J'en fis du reste l'amère expérience.

Au cours des premières années où je fus à la tête de la famille, je dus écraser une dizaine de petites rébellions dont l'unique but était d'humilier cet arriviste de Noé que papa n'avait jamais aimé, le mutin (ou la mutine) souhaitant prendre sa place. Les raisons invoquées étaient diverses et, je tiens à le signaler, ridicules. On attenta notamment à mon pouvoir à cause de quelques gouttes d'eau versées par mégarde sur un manteau, une vache dont le vêlage s'était mal passé, une salutation mal entendue. Afin de réduire ce nœud de vipères au silence, je dépensai beaucoup d'argent, de temps et d'énergie. Je dus même faire exécuter les deux plus effrontées. Le voici le mode de vie patriarcal que vous vous figurez si paisible !

Petit à petit, en remarquant que je devenais de plus en plus semblable à mon père, je commençai à me le rappeler. Hélas, il était trop tard. Bon, il en va toujours ainsi. Ce sont les défunts que nous sommes le mieux à même de comprendre. Et j'en vins alors à suspecter que le caractère de mon papounet n'était pas aussi cauchemardesque, loin de là, que je me l'étais figuré. Au contraire, je fis la déduction qu'étant donné la douce nature qui était la mienne, la sienne avait forcément dû être du même acabit (puisqu'il ne m'avait pas seulement donné mon apparence, mais aussi mon éducation). Et tout le reste – méthode de gouvernement autoritaire, penchant pour la tyrannie, arrogance – me venait de lui. Alors que cela ne lui était pas propre au départ. Quand j'en fus parvenu à cette conclusion, je me réconciliai mentalement avec mon père et lui présentai même mes excuses sur sa tombe. Oui, d'accord, j'avais copieusement biberonné avant.

Dieu prêta l'oreille à mon discours décousu, je n'ai aucun doute là-dessus. Je ne le vis pas, mais je le sentis – il était quelque part dans les parages. D'un côté, c'était énervant. Mais bon, qui d'autre si ce n'était Lui aurait pu transmettre mes paroles à mon défunt papa ?

N'allez pas vous imaginer que le vieux Noé, ravagé par l'alcool, a l'intention de vous raconter toute l'histoire de sa vie, et par la même occasion de se dédouaner à vos yeux et de se réhabiliter. L'unique but de mon récit est de vous faire comprendre qu'au moment où débuta la désagréable histoire du Déluge, mes nerfs ne valaient plus tripette. J'étais à cran en permanence. Je piquais de fréquentes colères, il m'arrivait parfois de pleurer sans le moindre motif. Personne ne s'en préoccupait : tout le monde me prenait pour un toqué cruel, trop impressionnable et en outre porté aux dérèglements de l'âme. Nul ne tenait à en connaître les raisons. Pardi, il est bien plus aisé d'inscrire un proche au rang des cinglés que de chercher à le comprendre et à lui trouver des excuses. La venue de Jésus était encore lointaine, et l'idée de pardon ne jouissait pas d'une grande popularité chez les Juifs. Si vous aviez lancé à quelqu'un « Pardonne-moi, car je suis une partie de toi », ce quelqu'un vous aurait tenu pour fou à lier. Les transports émotionnels n'étaient pas les bienvenus. Au contraire, on pouvait alors s'imaginer que vous étiez possédé par les démons et vous soumettre à une procédure impartiale : la lapidation. Quant aux actes improvisés – dans tous les domaines, et notamment s'agissant des fréquentations –, on les appréhendait avec circonspection, et une prudence confinant à la suspicion maniaque. Aucun pas de travers n'était toléré. Et aucun bond en l'air !

Tout était réglementé, décrit point par point : tu devais

te comporter de telle façon avec les gens, avec Dieu, avec ta femme, avec les animaux domestiques, les arbres, les insectes, les oiseaux, la terre, le ciel, l'eau ; ce que tu devais penser ou faire dans telle situation ou dans telle autre. Nous étions des robots au sens premier du terme. Aussi l'art n'était-il guère encouragé. Pas plus que l'artisanat d'ailleurs. Fais paître ton bétail (cultive ta terre), remplis toutes les clauses de ton Contrat avec Dieu, et tu recevras ton dû sous forme de bien-être de ton vivant et de prospérité après ta mort. Dénicher des artisans inventifs capables d'équiper mon navire me prit donc un temps fou. Au bout du compte, n'étant pas parvenu à les trouver au sein de notre peuple, je dus faire venir des artisans étrangers.

Leur imagination me subjugua : quand l'un d'entre eux, après s'être bien gaussé de mon récit sur le Déluge (évidemment, je désirais les prendre à mon bord !), me proposa de bâtir un vaisseau fermé, où l'air pénétrerait grâce à un long tuyau, j'en eus le souffle coupé. Aucun de nos compatriotes n'y aurait jamais songé. « Mais existe-t-il un tel navire dans les Commandements ? Sa construction est-elle approuvée par le Très-Haut ? Y a-t-il seulement quelque chose d'approchant dans les Tables de la Loi ? » Voilà ce que j'aurais entendu si j'avais proposé à un compatriote de construire un vaisseau sous-marin.

Mes artisans, eux – des Grecs à ce qu'on raconta, sans que je ne susse jamais le fin mot de l'histoire –, se moquaient bien de savoir ce que Dieu pensait de leurs projets. Ils étaient globalement moins portés à la dépression et aux cogitations pénibles que nous autres. Quand je l'interrogeai sur Dieu et le vaisseau, le charpentier m'éclata de rire au nez, et répliqua qu'il ne voyait aucun rapport entre les deux. Supposais-je vraiment que les dieux (ils croyaient, allez savoir pourquoi, que les divinités devaient être nombreuses, et moi, j'espérais de tout cœur que ce n'était pas le cas, un seul me semblant tout à fait suffisant) n'avaient rien de mieux à faire que de surveiller la construction d'un navire ? Étais-je à ce point persuadé que les dieux éprouvaient le moindre intérêt pour nous, les hommes ?

J'avoue que je ne trouvai rien à répondre au costaud rigolard à la barbichette bien soignée.

En effet, raisonnais-je tandis que j'observais la construction du Salut, *pourquoi supposons-nous aveuglément que Dieu soit un jaloux occupé à nous surveiller au pâturage, tel un berger son troupeau ? Peut-être faisons-nous fausse route, ce qui expliquerait pourquoi nous vivons n'importe comment ? Peut-être nous a-t-il créés avant de retourner s'adonner à des occupations bien plus intéressantes ? Bien sûr, j'étais encore bien loin de considérer qu'il ne fallait pas révérer Dieu. Même s'Il ne se souciait plus de nous à présent, ce n'était pas une raison pour ne pas Lui être reconnaissant, ne serait-ce que de nous avoir créés. Mais peut-être était-il préférable de se limiter à ces relations-là avec Dieu ? Peut-être était-Il justement furieux contre nous parce que nous ne Le laissions jamais en paix ?*

Le temps passait et le bateau était presque terminé. De leur côté, les ménageries étaient pleines à craquer. J'ajouterai encore une chose : je n'accepte aucun reproche concernant mes partis pris dans le choix des espèces. Et d'une, les animaux ne crurent pas plus au Déluge que les hommes ; et de deux, je ne suis pas chasseur et n'entends rien en la matière ; et de trois, tout ce que je pouvais faire, je le fis, et tous ceux que nous pûmes capturer et sauver, nous les capturâmes et sauvâmes. Où aurais-je bien pu me procurer un mammouth, je vous le demande ? Et remerciez-moi encore de ce que mes émissaires aient découvert sur les rivages de l'Afrique quelques dizaines de kangourous échoués là au gré des échanges commerciaux entre les Polynésiens, qui faisaient de la contrebande avec les aborigènes australiens, et les Chinois, et ensuite entre ces derniers et les rois africains…

À ce propos, je me suis préparé pendant dix ans pour le Déluge. Aussi les ani…

48

— C'est admirable ! s'exclama Natalya en achevant la lecture de la dernière page. Mais où se trouvent le lieutenant Petrescu et son dernier grand amour ?

— Mais ici, répliqua Petrescu en arrêtant une voiture où, aussitôt monté, il entreprit de peloter la jeune femme. Dans cette voiture !

Les deux amoureux gloussaient, glapissaient, se câlinaient, bref se comportaient comme des idiots. Ainsi qu'il était de mise, quoi, constata le berger Skorzeny en observant la voiture depuis une colline. Le véhicule qui transportait Petrescu et Natalya arrivait au village de Larga.

— Non, mais je parle sérieusement, s'obstina Natalya, le souffle court. Quel est le rapport entre toi et ce texte bizarre sur Noé ?

— Tu comprends, expliqua Petrescu, son auteur est un olibrius complètement à la masse. D'après ce qu'il m'a dit, il en a trouvé d'abord le titre, puis ses pensées ont suivi un autre cours. Et ça, ce n'est encore rien. La première partie s'intéresse aux cochons de mer.

— Et la troisième ?

— Dans la troisième partie de son livre sur le Déluge,

il compte avoir Dieu pour narrateur. Mais à ce qu'il dit, il rencontre des problèmes pour l'instant.

— Pauvre Dieu.

— Pauvre écrivain.

Petrescu et Natalya sortirent de voiture. Dévalant la colline, le vieux berger, Andronic le stagiaire du SIS et le journaliste Lorinkov vinrent à leur rencontre en agitant les bras en signe de bienvenue. On les aurait crus descendant du ciel.

À la nuit tombée, quand la compagnie, copieusement abreuvée de vin, s'approcha du fleuve pour écouter le clapotis des vagues, le berger Skorzeny remarqua qu'un corps s'était accroché à une souche. Hélas, contrairement au stagiaire Andronic qui avait ainsi vogué un jour, ce noyé-là était bel et bien mort.

— C'est curieux, murmura Natalya en scrutant le visage du macchabée. Il me rappelle quelqu'un.

— C'est l'Arabe qui vend des chawarmas dans le centre-ville, déclara Petrescu, avant d'ajouter : Ou plutôt, qui vendait…

— C'est l'Afghan Oussama que le SIS soupçonnait d'être Oussama ben Laden, expliqua le journaliste Lorinkov.

— C'est Ben Laden, leur certifia le stagiaire Andronic. Aucun doute là-dessus. J'ai lu en douce le message codé que mon chef a envoyé aux Américains.

Natalya réfléchit quelques minutes.

— Peut-être qu'on pourrait rentrer, alors ? suggéra-t-elle aux hommes. S'il était vraiment l'ennemi public numéro 1, sa mort va mettre fin à la paranoïa et à l'hystérie qui agitent le monde entier, non ?

Le stagiaire, Vladimir Lorinkov et le lieutenant Petrescu affichèrent une mine découragée.

— Je vous le déconseille, déclara le sage Skorzeny. Certes il est mort, mais ils vont forcément nous inventer quelqu'un d'autre !

Ils en convinrent tous. Skorzeny s'en fut réunir son troupeau, Lorinkov se porta volontaire pour l'aider. Le stagiaire Andronic, toujours faible après ses trois morts, regagna lui aussi ses pénates. Ne restèrent plus que le lieutenant Petrescu et son dernier amour. Natalya et lui libérèrent le corps d'Oussama de la souche où il s'était coincé, et regardèrent le défunt se fondre en oscillant dans l'horizon assombri.

Puis ils se prirent par le bras et retournèrent à Larga.

49

Moi, Dieu, en réalité, je ne fus pas l'aveugle imbécile ni le paranoïaque inconséquent que veut dépeindre, à travers ses grognements paranoïdes, cette stupide créature qui me mettait en rage avec ses petits bonds idiots, je veux parler de l'insupportable cochon de mer.

Moi, Dieu, je ne suis ni le tyran ni le despote ni le demeuré que veut dépeindre le fils de tyran, de despote et de demeuré qu'est Noé.

Moi, Dieu, je suis la créature la plus intelligente qui soit au monde. Moi, Dieu, je suis la créature la plus gentille qui soit au monde. Pour avoir cet alcoolique de Noé à l'œil, je pris l'apparence d'un lamantin.

Il faillit m'en coûter la vie. Mais je ne m'en souciais guère, car il faillit m'en coûter une vie de lamantin. Pas ma vie de Dieu.

Je suis Dieu. Et je vais vous dévoiler l'Étant. Quand vous le connaîtrez, vous deviendrez Dieu. Comme moi. Moi, Dieu, je vous parle, tendez l'oreille, car jamais vous n'entendrez rien de plus important au cours de votre vie. Approchez votre oreille aussi près que d'un trou de serrure et veillez à bien ouïr. Écoutez. Voici le plus grand secret de votre existence.

Le plus grand secret de votre existence consiste dans le fait que le…

Du même auteur :

Des mille et une façons de quitter la Moldavie
Mirobole Éditions, 2014
Pocket, 2015

Camp de Gitans
Mirobole Éditions, 2015
Les aventures de Séraphim,
prophète moldave oublié des dieux,
Pocket, 2016

Déjà parus :

Collection Agullo Fiction :

Refuge 3/9
Anna Starobinets

La Destinée, la Mort et moi,
comment j'ai conjuré le sort
S. G. Browne

L'Installation de la Peur
Rui Zink

Collection Agullo Noir :

Le Fleuve des brumes
Valerio Varesi

Spada
Bogdan Teodorescu

Visitez notre site internet
www.agullo-editions.com
pour découvrir les univers de nos romans,
de leurs auteurs et de
leurs traducteurs.

Achevé d'imprimer en août 2016
sur les presses de
la nouvelle imprimerie laballery
pour le compte de Agullo Éditions.
N° d'impression : 607237
X00043/01

ISBN : 979-10-95718-10-9
Dépôt légal : octobre 2016